MW00823619

VB-MAPP

Evaluación y programa de ubicación curricular
de los hitos de la conducta verbal

PROTOCOLO

Un programa de evaluación del lenguaje y las habilidades sociales para niñas y niños
diagnosticados con autismo u otras necesidades educativas especiales

Dr. Mark L. Sundberg, BCBA-D

Edición y traducción
Aida Tarifa Rodríguez, BCBA
Universidad Autónoma de Madrid
Dr. Javier Virués-Ortega, BCBA-D
Universidad Autónoma de Madrid, The University of Auckland

ABA España
Publicaciones

VB-MAPP, Evaluación y programa de ubicación curricular de los hitos de la conducta verbal: Protocolo es la edición en español de *VB-MAPP: Verba
Behavior Milestones Assessment and Placement Program, Protocol* de Mark L. Sundberg con contribuciones de Barbara Esch (*EESA, Early Echoi
Skills Assessment*) publicado inicialmente en 2008 por AVB Press. International Standard Book Number: 978-09818356-0-0. Esta edición
esta autorizada por el propietario de los derechos editoriales mediante acuerdo exclusivo de derechos de edición en español a favor d
ABA España como entidad cesionaria.

Edición y traducción: Aida Tarifa Rodríguez, Javier Virués Ortega
Maquetación: Florentina Lúpiz

Citar esta obra (APA, 7ª ed.)

Sundberg, M. L. (2021). *VB-MAPP, Evaluación y programa de ubicación curricular de los hitos de la conducta verbal: Protocolo* (A. Tarifa Rodríguez y J. Vi
rués Ortega, Eds. y trads.). ABA España. https://doi.org/10.26741/978-84-09-33124-6 (Última edción del original publicada en 2017

Citar la escala EESA (APA, 7ª ed.)

Esch, B. A., Tarifa-Rodríguez, A., y Virués-Ortega, J. (2021). Adaptación al español de Evaluación de Habilidades Ecoicas Tempranas
(*Early Echoic Skills Assessment, EESA*). En M. L. Sundberg (Ed.), *VB-MAPP, Evaluación y programa de ubicación curricular de los hitos d
la conducta verbal: Protocolo* (pág. 24). ABA España. https://doi.org/10.26741/978-84-09-33124-6_01

ABA España es una organización dedicada a la difusión, enseñanza e investigación del análisis aplicado de conducta en el mundo de habla
hispana con iniciativas educativas, editoriales, tecnológicas y científicas, visítanos en aba-elearning.com

Lista de abreviaturas

2D	Imagen bidimensional
3D	Objeto tridimensional
E	Evaluación u observación
E^D	Estímulo discriminativo
EESA	Evaluación de Habilidades Ecoicas Tempranas
LRFFC	Respuesta de oyente según característica, función o clase
O	Observación
OM	Operación motivadora
PECS	Sistema de comunicación mediante intercambio de imágenes
T	Evaluación directa
TO	Observación cronometrada
VP-MTS	Habilidades de percepción visual e igualación a la muestra

ISBN-13 978-84-09-33124-6 (Edición en rústica)
https://doi.org/10.26741/978-84-09-33124-6
Año de publicación: 2021

VB-MAPP

Evaluación y programa de ubicación curricular de los hitos de la conducta verbal

Este protocolo está diseñado para acompañar a la *Guía del VB-MAPP* (Sundberg, 2014/2021). La Guía contiene las instrucciones generales y los criterios de puntuación para administrar el presente *Protocolo del VB-MAPP*. La Guía también proporciona recomendaciones relativas al currículum para cada uno de los 170 hitos junto con sugerencias relativas a los objetivos que debe incluir un plan educativo individualizado (PEI). Además, la Guía contiene una breve descripción de los componentes básicos del análisis conductual del lenguaje, así como definiciones y ejemplos de las habilidades y barreras evaluadas en el VB-MAPP (p.ej., mando, tacto, intraverbal, error en secuencia[1]). Para beneficiarse al máximo del VB-MAPP, es esencial que el profesional que lo administre utilice la Guía. Además, es importante que esté familiarizado con el análisis de conducta y el análisis funcional de la conducta verbal.

Las bases del VB-MAPP se hallan en el análisis de la conducta verbal de B. F. Skinner (1957/2022), los hitos del desarrollo y los datos de la práctica diaria con niños y niñas, tanto de desarrollo típico como diagnosticados con autismo u otras necesidades educativas especiales. Además, incorpora aportaciones realizadas a lo largo de los años por logopedas, analistas de conducta, psicólogos, profesores de educación especial, terapeutas ocupacionales y padres.

VB-MAPP está compuesto de cinco elementos fundamentales. El primero es la *Evaluación de hitos*, que constituye el núcleo del programa. Este componente está diseñado para proporcionar una muestra representativa de las habilidades verbales y otras habilidades relacionadas con el lenguaje en niños y niñas. Esta evaluación contiene 170 hitos medibles distribuidos en 16 habilidades y 3 niveles de desarrollo (0-18 meses, 18-30 meses y 30-48 meses). El segundo componente es la *Evaluación de barreras*, que proporciona una evaluación de 24 barreras que dificultan el aprendizaje y la adquisición del lenguaje, y que suelen estar presentes en estudiantes con dificultades en el lenguaje. La tercera parte es la *Evaluación de la transición*, que proporciona una evaluación general abreviada de la preparación de los niños para pasar a entornos educativos menos restrictivos. La cuarta parte es el *Análisis de tareas y seguimiento de habilidades de apoyo*, que desglosa en más detalle las habilidades o elementos que apoyan los hitos, y sirve como una guía curricular más completa de la conducta verbal. Las habilidades de apoyo sirven de complemento a los hitos, incluyendo habilidades lingüísticas, de aprendizaje y sociales que deben desarrollarse junto con los hitos. Las habilidades de apoyo no son necesariamente requisitos previos para alcanzar un hito específico, ni deben enseñarse en el orden exacto en que se presentan. No obstante, las habilidades de apoyo contenidas en esta sección del Protocolo son una parte esencial de cualquier programa de intervención.

El último componente del programa general es la sección de *Ubicación curricular y objetivos del PEI*, que no se incluye en este protocolo sino en la Guía del VB-MAPP. Una vez que se han identificado y analizado las habilidades y barreras del estudiante, se pueden diseñar y elaborar los objetivos educativos individualizados y aplicarlos con el fin de favorecer el progreso del estudiante.

Para facilitar la lectura, utilizamos el género masculino para el niño o niña evaluado a lo largo del VB-MAPP. *Habla* puede sustituirse por *lenguaje de signos* en todas las secciones. El lector interesado puede consultar material adicional (en inglés) sobre VB-MAPP en www.avbpress.com

Referencias

Skinner, B. F. (2022). *Conducta verbal*. ABA España. (Original publicado en 1957)

Sundberg, M. L. (2021). *VB-MAPP, Evaluación y programa de ubicación curricular de los hitos de la conducta verbal: Guía* (A. Tarifa Rodríguez y J. Virués Ortega, Eds. y trads.). ABA España. https://doi.org/10.26741/978-84-09-33123-9 (Original publicado en 2014)

---

[1] N. del E.: scrolling, en inglés, en el original. El estudiante emite varias respuestas incorrectas antes de llegar a la respuesta correcta.

Nombre	
Fecha de nacimiento	

Edad a evaluar	1		2		3		4	

Clave:	Puntuación	Fecha	Color	Profesional
1ª PRUEBA:				
2ª PRUEBA:				
3ª PRUEBA:				
4ª PRUEBA:				

NIVEL 3

	Mando	Tacto	Oyente	VP-MTS	Juego	Social	Lectura	Escritura	LRFFC	Intraverbal	Grupo	Lingüística	Matemáticas
15													
14													
13													
12													
11													

NIVEL 2

	Mando	Tacto	Oyente	VP-MTS	Juego	Social	Imitación	Ecoica	LRFFC	Intraverbal	Grupo	Lingüística
10												
9												
8												
7												
6												

NIVEL 1

	Mando	Tacto	Oyente	VP-MTS	Juego	Social	Imitación	Ecoica	Vocal
5									
4									
3									
2									
1									

Nombre	
Fecha de nacimiento	

| Edad a evaluar | 1 | | 2 | | 3 | | 4 | |

Clave:	Puntuación	Fecha	Color	Profesional
1ª PRUEBA:				
2ª PRUEBA:				
3ª PRUEBA:				
4ª PRUEBA:				

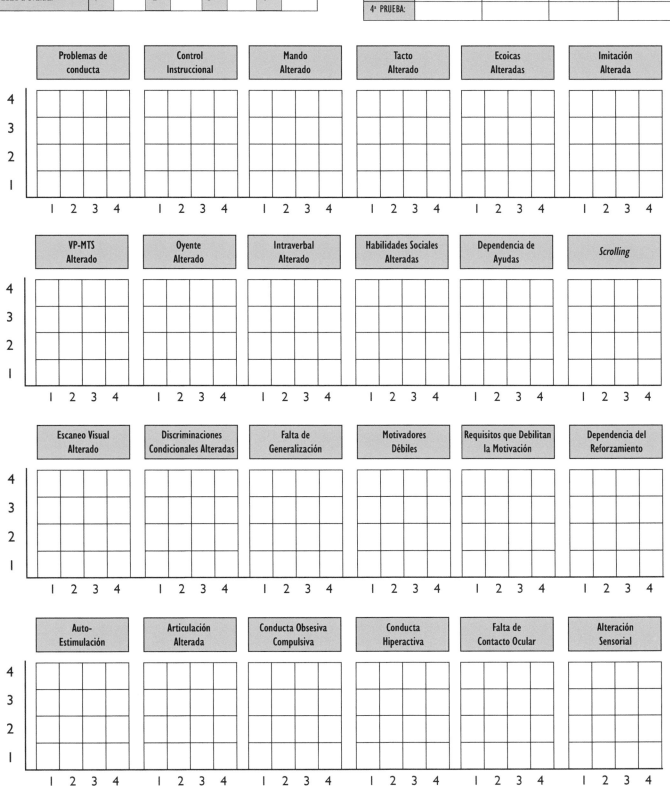

(T) = Evaluación directa;   **(O) =** Observación;   **(E) =** Evaluación u observación;   **(TO) =** Observación cronometrada

	EVALUACIÓN			
	1	2	3	4
PUNTUACIÓN:				

MANDOS

¿Utiliza palabras, signos o imágenes para conseguir los objetos o acceder a las actividades que quiere?

1. Emite 2 palabras, signos o PECS a pesar de necesitar ayuda ecoica, imitativa u otro tipo de ayuda excepto ayuda física (p.ej., *galleta, libro*, etc.) **(E)**

2. Emite 4 mandos diferentes sin ayudas, exceptuando la ayuda *¿Qué quieres?*; el objeto deseado puede estar presente (ej., *música, pelota*, etc.) **(T)**

3. Generaliza 6 mandos con 2 personas diferentes, 2 lugares diferentes y 2 reforzadores diferentes (p.ej., dirige el mando "*pompas*" a la madre y al padre, fuera y en casa, y las pompas del bote rojo y del bote azul) **(E)**

4. Emite espontáneamente 5 mandos (sin ayuda verbal); el objeto deseado puede estar presente **(TO: 60 min.)**

5. Emite 10 mandos diferentes sin ayudas (p.ej., *¿Qué quieres?*); el objeto deseado puede estar presente (p.ej., *manzana, columpio, coche, jugo o zumo*, etc.) **(E)**

Comentarios/notas:

....

....

	EVALUACIÓN			
	1	2	3	4
PUNTUACIÓN:				

TACTO

¿Tacta personas, objetos, partes del cuerpo o imágenes?

1. Tacta 2 objetos con ecoica o ayuda imitativa (p.ej., personas, mascotas, personajes u objetos favoritos) **(T)**

2. Tacta 4 objetos cualquiera sin ayuda ecoica o imitativa (p.ej., personas, mascotas, personajes u otros objetos) **(T)**

3. Tacta 6 objetos no reforzantes (p.ej., *zapato, sombrero, cuchara, coche, vaso, cama*, etc.) **(T)**

4. Tacta espontáneamente 2 objetos diferentes (sin ayuda verbal) **(TO: 60 min.)**

5. Tacta 10 objetos (p.ej., objetos comunes, personas, partes del cuerpo o fotos) **(T)**

Comentarios/notas:

....

....

(T) = Evaluación directa;   **(O)** = Observación;   **(E)** = Evaluación u observación;   **(TO)** = Observación cronometrada

EVALUACIÓN			
1	2	3	4

RESPUESTA DE OYENTE

PUNTUACIÓN:

¿Atiende y responde al habla de otras personas?

1	2	3	4

I. Atiende a la voz de un hablante, hace contacto ocular con el hablante; lo hace 5 veces **(TO: 30 min.)**

1	2	3	4

2. Responde al escuchar que le llaman por su propio nombre en 5 ocasiones (p.ej., mira al hablante) **(T)**

1	2	3	4

3. Mira, toca, o señala a un miembro de la familia, mascota, u otro reforzador, cuando se le presentan conjuntos de 2 objetos; lo hace para 5 reforzadores diferentes (p.ej., *¿Dónde está Elmo?, ¿Dónde está mamá?*) **(E)**

1	2	3	4

4. Emite 4 acciones motoras diferentes al recibir una instrucción, sin ayuda visual (p.ej., *¿Puedes saltar?, Aplaude*) **(T)**

1	2	3	4

5. Selecciona el objeto correcto en un conjunto de 4 objetos. Acción realizada con 20 objetos o fotos diferentes (p.ej., *Muéstrame el gato, Señala el zapato*) **(T)**

Comentarios/notas:

....

....

EVALUACIÓN			
1	2	3	4

HABILIDADES DE PERCEPCIÓN VISUAL E IGUALACIÓN A LA MUESTRA (VP-MTS)

PUNTUACIÓN:

¿Atiende y responde a los estímulos visuales y empareja objetos o imágenes?

1	2	3	4

I. Sigue visualmente, estímulos en movimiento durante 2 segundos, en 5 ocasiones **(TO: 30 min.)**

1	2	3	4

2. Hace el agarre de pinza, es decir, sujeta objetos pequeños con el dedo pulgar y el índice; lo hace en 5 ocasiones **(O)**

1	2	3	4

3. Dirige la mirada a un juguete o un libro durante 30 segundos (se excluyen los objetos que suela utilizar para autoestimularse) **(O)**

1	2	3	4

4. Coloca 3 objetos en un recipiente, hace una torre con 3 bloques, inserta 3 aros en una varilla o realiza otras actividades similares **(E)**

1	2	3	4

5. Iguala hasta 10 objetos idénticos cualquiera (p.ej., rompecabezas encajables, juguetes, objetos, o fotos) **(E)**

Comentarios/notas:

....

....

(T) = Evaluación directa;   **(O)** = Observación;   **(E)** = Evaluación u observación;   **(TO)** = Observación cronometrada

	EVALUACIÓN		
1	2	3	4

JUEGO INDEPENDIENTE   PUNTUACIÓN:

¿Emite conductas de juego independiente? Es decir, ¿es el juego automáticamente reforzante?

1. Manipula y explora objetos durante 1 minuto (p.ej., mira un juguete, lo hace girar, toca los botones de un juguete) **(TO: 30 min.)**

2. Demuestra diferentes conductas de juego al interactuar con un objeto; lo hace con 5 objetos diferentes **(TO: 30 min.)**

3. Demuestra generalización de conductas exploratorias al jugar con juguetes en un contexto nuevo durante 2 minutos **(TO: 30 min.)**

4. Juega de forma independiente durante 2 minutos (p.ej., columpiándose, bailando, balanceándose, saltando, etc.) **(TO: 30 min.)**

5. Juega independientemente con juegos de tipo causa-efecto durante 2 minutos (p.ej., llenando y vaciando recipientes con agua o arena, jugando con juguetes con botones en los que cada botón realiza una acción diferente (música, texturas, sonidos, etc.) **(TO: 30 min.)**

Comentarios/notas:
....
....

	EVALUACIÓN		
1	2	3	4

CONDUCTA SOCIAL Y JUEGO SOCIAL   PUNTUACIÓN:

¿Presta atención a los demás niños y niñas e intenta relacionarse con ellos?

1. Hace contacto ocular con función de mando en 5 ocasiones **(TO: 30 min.)**

2. Indica que quiere ser cargado (llevado en brazos) o que quiere jugar; lo hace en dos ocasiones (p.ej., se sube en el regazo de la madre) **(TO: 60 min.)**

3. Hace contacto ocular espontáneamente con otros niños en 5 ocasiones **(TO: 30 min.)**

4. Permanece en juego paralelo de forma espontánea cerca de otros niños durante 2 minutos **(TO: 30 min.)**

5. Sigue a niños de su edad (iguales) o imita sus conductas motoras en 2 ocasiones (p.ej., sigue a sus iguales en la casita del parque) **(TO: 30 min.)**

Comentarios/notas:
....
....

(T) = Evaluación directa;   **(O) =** Observación;   **(E) =** Evaluación u observación;   **(TO) =** Observación cronometrada

	EVALUACIÓN			
	1	2	3	4
PUNTUACIÓN:				

IMITACIÓN MOTORA

¿Imita las acciones de las otras personas?

1	2	3	4	
				1. Imita 2 movimientos de motricidad gruesa ante la instrucción: "*Haz esto*" (p.ej., *aplaude, levanta los brazos*) **(T)**
				2. Imita 4 movimientos de motricidad gruesa ante la instrucción: "*Haz esto*" **(T)**
				3. Imita 8 movimientos motores, 2 de los cuales requieren objetos (p.ej., agitar una maraca, hacer chocar unos palos) **(T)**
				4. Imita, espontáneamente la conducta motora de otras personas, en 5 ocasiones **(O)**
				5. Imita cualquier movimiento motor, lo hace para 20 movimientos diferentes (p.ej., motricidad fina, motricidad gruesa, imitación con objetos, etc.) **(T)**

Comentarios/notas:

....

....

	EVALUACIÓN			
	1	2	3	4
PUNTUACIÓN:				

ECOICA   (Utilizar el subtest EESA en la pág. 24)

¿Repite sonidos vocálicos y consonánticos, es decir, hace ecoicas, por separado y en combinación?

1	2	3	4	
				1. Obtiene al menos 2 puntos en el subtest EESA **(E)**
				2. Obtiene al menos 5 puntos en el subtest EESA **(E)**
				3. Obtiene al menos 10 puntos en el subtest EESA **(E)**
				4. Obtiene al menos 15 puntos en el subtest EESA **(E)**
				5. Obtiene al menos 25 puntos en el subtest EESA (al menos 20 del grupo 1) **(E)**

Comentarios/notas:

....

....

(T) = Evaluación directa;   **(O)** = Observación;   **(E)** = Evaluación u observación;   **(TO)** = Observación cronometrada

EVALUACIÓN			
1	2	3	4

CONDUCTA VOCAL ESPONTÁNEA

PUNTUACIÓN:

¿Con qué frecuencia vocaliza espontáneamente? ¿Qué tipo de vocalizaciones realiza?

1	2	3	4

1. Emite de forma espontánea un promedio de 5 sonidos por hora **(TO: 60 min.)**

1	2	3	4

2. Emite de forma espontánea 5 sonidos diferentes alcanzando un promedio total de 10 sonidos por hora **(TO: 60 min.)**

1	2	3	4

3. Emite, espontáneamente, 10 sonidos diferentes con diversas entonaciones. alcanzando un promedio de 25 sonidos en total por hora **(TO: 60 min.)**

1	2	3	4

4. Emite espontáneamente 5 aproximaciones diferentes de palabras completas **(TO: 60 min.)**

1	2	3	4

5. Vocaliza 15 palabras completas o frases con entonación y ritmo apropiado y de forma espontánea **(TO: 60 min.)**

Comentarios/notas:

....

....

(T) = Evaluación directa;   **(O)** = Observación;   **(E)** = Evaluación u observación;   **(TO)** = Observación cronometrada

	EVALUACIÓN		
1	2	3	4

MANDOS   **PUNTUACIÓN:**

¿Emite con frecuencia un mando espontáneo controlado principalmente por operaciones motivadoras (OM)?

1	2	3	4

6. Hace mandos de 20 objetos que no están a la vista sin recibir ayudas (excepto, p.ej., ¿Qué necesitas?) (p.ej., Emite un mando de "*papel*" cuando se le entregan lápices de colores) **(E)**

1	2	3	4

7. Dirige mandos a otras personas para que realicen 5 acciones diferentes; los mandos pueden consistir en que otras personas realicen acciones para que el niño/a pueda disfrutar una actividad que desea (p.ej., abrir la puerta para salir al exterior, que le empujen en un columpio, etc.) **(E)**

1	2	3	4

8. Emite 5 mandos diferentes, los cuales contienen 2 o más palabras (sin contar: *Yo quiero*) (p.ej., *Ve rápido, Mi turno, Ponme zumo/jugo* **(TO: 60 min.)**

1	2	3	4

9. Emite espontáneamente 15 mandos diferentes (p.ej., *Juguemos, Abre, Yo quiero libro*) **(TO: 30 min.)**

1	2	3	4

10. Emite 10 mandos nuevos sin entrenamiento especifico (p.ej., espontáneamente dice ¿Dónde se fue el gato?, sin entrenamiento formal de mandos) **(O)**

Comentarios/notas:
....
....
....

	EVALUACIÓN		
1	2	3	4

TACTO   **PUNTUACIÓN:**

¿Tacta nombres y verbos?

1	2	3	4

6. Tacta 25 objetos cuando se le pregunta, "*¿qué es esto?*" (p.ej., *libro, zapato, coche, perro, sombrero*, etc.) **(T)**

1	2	3	4

7. Generaliza los tactos de 50 objetos y por cada objeto tacta 3 ejemplares diferentes; evaluados al efecto o de un listado de conceptos ya adquiridos (p.ej., tacta 3 coches diferentes) **(T)**

1	2	3	4

8. Tacta 10 acciones cuando se le pregunta, por ejemplo, "*¿qué estoy haciendo?*" (p.ej., *saltando, durmiendo, comiendo*, etc.) **(T)**

1	2	3	4

9. Tacta 50 combinaciones de dos componentes (verbo-nombre o nombre-verbo), evaluadas al efecto o de un listado de tactos ya adquiridos (p.ej., *lavar manos, José juega, bebé duerme*, etc.) **(T)**

1	2	3	4

10. Tacta un total de 200 nombres y/o verbos (u otros elementos del lenguaje) evaluados al efecto o de listado de tactos ya adquiridos **(T)**

Comentarios/notas:
....
....
....

(T) = Evaluación directa;   **(O)** = Observación;   **(E)** = Evaluación u observación;   **(TO)** = Observación cronometrada

RESPUESTA DE OYENTE

	EVALUACIÓN		
1	2	3	4

PUNTUACIÓN:

¿Está adquiriendo habilidades de oyente avanzadas?

1	2	3	4

6. Selecciona el objeto correcto de entre un conjunto desordenado de 6 objetos. Acción realizada para 40 objetos o imágenes diferentes (p.ej., *Busca el gato, Toca la pelota*) **(T)**

1	2	3	4

7. Generaliza discriminaciones de oyente de entre un conjunto desordenado de 8 objetos. De cada objeto discrimina 3 ejemplares diferentes. Esta acción se realiza con 50 objetos diferentes (p.ej., puede encontrar 3 trenes de juguete diferentes) **(T)**

1	2	3	4

8. Realiza 10 acciones motoras especificas al recibir una instrucción (p.ej., *Muéstrame como aplaudes, ¿Puedes saltar?*) **(T)**

1	2	3	4

9. Sigue 50 instrucciones de dos componentes (nombre-verbo y/o verbo-nombre) (p.ej., *Muéstrame el bebe que duerme, Empuja el columpio*) **(T)**

1	2	3	4

10. Selecciona el objeto correcto en la página de un libro que muestra la imagen de una escena, o en el ambiente natural cuando se le nombran 250 objetos; evaluados al efecto o de una lista acumulada de objetos ya aprendidos **(T)**

Comentarios/notas:

HABILIDADES DE PERCEPCIÓN VISUAL E IGUALACIÓN A LA MUESTRA

	EVALUACIÓN		
1	2	3	4

PUNTUACIÓN:

¿Empareja imágenes y objetos idénticos y diferentes?

1	2	3	4

6. Iguala objetos idénticos o fotos de entre un conjunto desordenado de 6 objetos. Realiza la acción con 25 objetos **(T)**

1	2	3	4

7. Clasifica 10 objetos por colores y formas (p.ej., se le dan platos y ositos de color rojo, azul y verde, y el estudiante es capaz de clasificar los objetos por colores) **(E)**

1	2	3	4

8. Iguala imágenes u objetos idénticos de entre un conjunto desordenado de 8 objetos que contiene 3 que son iguales. Lo hace para 25 objetos diferentes (p.ej., iguala un perro con otros dos perros ante un conjunto que contiene también gatos, cerdos y caballos) **(T)**

1	2	3	4

9. Iguala objetos no idénticos, o fotos no idénticas de entre un conjunto desordenado de 10 objetos. Realiza la acción con 25 objetos (p.ej., iguala un camión Ford con un camión Toyota) **(T)**

1	2	3	4

10. Iguala objetos no idénticos (3D) con imágenes (2D), y/o viceversa de entre un conjunto desordenado de 10 objetos que contiene 3 estímulos similares. Realiza la acción con 25 objetos **(T)**

Comentarios/notas:

(T) = Evaluación directa;   **(O)** = Observación;   **(E)** = Evaluación u observación;   **(TO)** = Observación cronometrada

EVALUACIÓN			
1	2	3	4.

JUEGO INDEPENDIENTE

PUNTUACIÓN:

¿Emite conductas de juego independiente, es decir, es el juego automáticamente reforzante?

1	2	3	4

6. Busca el juguete "que falta", que encaja con otros o que forma parte de un conjunto (p.ej., la pieza de un rompecabezas, el biberón de un bebé de juguete, etc.) **(E)**

1	2	3	4

7. Muestra de forma independiente el uso apropiado de 5 juguetes u objetos de acuerdo a su función (p.ej., colocar un tren en la vía, empujar un vagón, colocar un teléfono de juguete cerca de la oreja, etc.) **(O)**

1	2	3	4

8. Juega con objetos cotidianos de forma creativa; lo realiza en 2 ocasiones (p.ej., utiliza un plato como un tambor o una caja como un coche imaginario) **(O)**

1	2	3	4

9. Juega de forma independiente en parques infantiles o estructuras diseñadas para jugar (p.ej., bajar por un tobogán, columpiarse, etc.) **(TO: 30 min.)**

1	2	3	4

10. Encaja juguetes compuestos por múltiples secciones. Lo realiza con materiales diferentes (p.ej., con el Señor Patata, Legos, etc.) **(O)**

Comentarios/notas:

....

....

EVALUACIÓN			
1	2	3	4

CONDUCTA SOCIAL Y JUEGO SOCIAL

PUNTUACIÓN:

¿Participa en actividades con otros niños e interacciona verbalmente de forma espontánea con ellos?

1	2	3	4

6. Inicia una interacción física con un compañero de su edad en 2 ocasiones (p.ej., empujar un cochecito, ir de la mano, hacer un círculo agarrando las manos de los compañeros, jugar al corro de la patata) **(TO: 30 min.)**

1	2	3	4

7. Dirige mandos de forma espontánea a sus compañeros en 5 ocasiones (p.ej., *Mi turno, Empújame, ¡Mira!, ¡Vamos!*) **(TO: 60 min.)**

1	2	3	4

8. Participa en juego social con sus compañeros durante 3 minutos sin necesidad de ayudas ni reforzamiento (p.ej., coopera preparar un juego, etc.) **(TO: 30 min.)**

1	2	3	4

9. Responde espontáneamente a los mandos de sus compañeros en 5 ocasiones (p.ej., *Empújame en el columpio, Dame el tren*) **(E)**

1	2	3	4

10. Dirige mandos espontáneamente a sus compañeros para participar en juegos y actividades de juego social, etc., en 2 ocasiones (p.ej., *¡Vamos juntos!, ¡Hagamos un hoyo!*) **(TO: 60 min.)**

Comentarios/notas:

....

....

(T) = Evaluación directa;   **(O) =** Observación;   **(E) =** Evaluación u observación;   **(TO) =** Observación cronometrada

	EVALUACIÓN			
	1	2	3	4
PUNTUACIÓN:				

IMITACIÓN MOTORA

¿Imita las acciones de otras personas?

1	2	3	4

6. Imita 10 acciones que requieren seleccionar un objeto específico de un conjunto de objetos desordenados (p.ej., selecciona una baqueta [palo para tocar un tambor] de un conjunto que también contiene una trompeta y una campana, e imita a un adulto tocando el tambor) **(T)**

1	2	3	4

7. Imita 20 acciones de motricidad fina diferentes con la ayuda "*haz esto*" (p.ej., mover los dedos, pellizcar, cerrar el puño, hacer una mariposa con las manos, etc.) **(T)**

1	2	3	4

8. Imita 10 secuencias diferentes de acciones de 3 componentes con la ayuda: "*Haz esto*" (p.ej., *Aplaude, salta y tócate los pies; Toma una muñeca, métela en la cuna y mécela*, etc.) **(T)**

1	2	3	4

9. Imita de forma espontánea 5 habilidades funcionales en el contexto natural (p.ej., comer con la cuchara, ponerse el abrigo, quitarse los zapatos, etc.) **(O)**

1	2	3	4

10. Imita o realiza acciones similares a cualquier acción motora nueva modelada por un adulto, con o sin objetos, es decir, tiene un "repertorio imitativo generalizado" **(T)**

Comentarios/notas:
....
....

	EVALUACIÓN			
	1	2	3	4
PUNTUACIÓN:				

ECOICA   (Utilizar el subtest EESA en la pág. 24)

¿Repite inmediatamente palabras y frases?

1	2	3	4

6. Obtiene al menos 50 puntos en el subtest EESA (al menos 20 del grupo 2) **(E)**

1	2	3	4

7. Obtiene al menos 60 puntos en el subtest EESA **(E)**

1	2	3	4

8. Obtiene al menos 70 puntos en el subtest EESA **(E)**

1	2	3	4

9. Obtiene al menos 80 puntos en el subtest EESA **(E)**

1	2	3	4

10. Obtiene al menos 90 puntos en el subtest EESA (al menos 10 de los grupos 4 y 5) **(E)**

Comentarios/notas:
....
....

Evaluación de hitos: NIVEL 2 (18-30 MESES)

(T) = Evaluación directa; **(O)** = Observación; **(E)** = Evaluación u observación; **(TO)** = Observación cronometrada

RESPUESTAS DE OYENTE SEGÚN CARACTERÍSTICA, FUNCIÓN O CLASE

EVALUACIÓN			
1	2	3	4

PUNTUACIÓN:

¿Comprende como oyente palabras que describen o modifican sustantivos y verbos por sus funciones, características o clases?

6. Selecciona 5 alimentos o bebidas diferentes, cuando cada uno se presenta en un conjunto de 5, junto con 4 objetos que no son alimentos ni bebidas, preguntándole: *Tú comes... Tú bebes...* **(T)**

7. Selecciona el objeto correcto de entre un conjunto de 8. Completa hasta 25 oraciones con respuestas de oyente dependiendo de la función, de la característica y de la clase (LRFFC) (p.ej., *Te sientas en una...*) **(T)**

8. Selecciona el objeto correcto de entre un conjunto de 10 (o de entre las ilustraciones de un libro) para 25 preguntas LRFFC que combinen verbo y nombre ante preguntas con *qué, cuál* o *quién* (p.ej., *¿Qué suena?, ¿Cuál ladra?, ¿Quién salta?*) **(T)**

9. Selecciona un objeto cuando se le dan 3 oraciones diferentes acerca de cada objeto (p.ej., *Busca un animal, ¿Qué ladra?, ¿Qué tiene patas?*). Realiza esta acción con 25 objetos **(T)**

10. Tacta espontáneamente el objeto correcto ante el 50% de preguntas de tipo LRFFC (p.ej., dice *perro* completando una oración, selecciona *perro* ante la instrucción "busca un animal" y selecciona *perro* de entre varias imágenes) **(O)**

Comentarios/notas:

INTRAVERBAL

EVALUACIÓN			
1	2	3	4

PUNTUACIÓN:

¿Responde verbalmente a las preguntas de los demás?

6. Completa 10 frases diferentes de cualquier tipo (p.ej., completa canciones, palabras de juegos sociales, palabras divertidas, sonidos que hacen los animales o algunos objetos) **(T)**

7. Responde con su primer nombre cuando se le pregunta, "*¿cómo te llamas?*" **(T)**

8. Completa 25 frases diferentes (sin incluir canciones) (p.ej., *Tú comes..., Tú duermes en una..., Zapatos y...*) **(T)**

9. Contesta 25 preguntas diferentes con *Qué* (p.ej., *¿Qué te gusta comer?*) **(T)**

10. Contesta 25 preguntas diferentes con *Quién* o *Dónde* (p.ej., *¿Quién es tu amigo?, ¿Dónde esta tu almohada?*) **(T)**

Comentarios/notas:

(T) = Evaluación directa;   **(O) =** Observación;   **(E) =** Evaluación u observación;   **(TO) =** Observación cronometrada

EVALUACIÓN			
1	2	3	4

RUTINAS EN EL AULA Y HABILIDADES EN GRUPO

PUNTUACIÓN:

¿Sigue las rutinas en el aula, participa adecuadamente en las actividades de grupo y responde al formato de enseñanza en grupo?

1	2	3	4

6. Se sienta para comer en la mesa o se sienta en el suelo con el resto de sus compañeros sin problemas de conducta durante 3 minutos **(O)**

1	2	3	4

7. Guarda sus objetos personales y es capaz de esperar en fila o de dirigirse a su mesa con solo una ayuda verbal **(O)**

1	2	3	4

8. Realiza las transiciones entre actividades de clase sin necesidad de recibir más de una ayuda gestual o verbal **(O)**

1	2	3	4

9. Se sienta en un grupo pequeño durante 5 minutos sin problemas de conducta o sin intentos de marcharse del grupo **(O)**

1	2	3	4

10. Se sienta en un grupo pequeño durante 10 minutos, presta atención al maestro o maestra, o al material escolar, durante el 50% del tiempo; responde a 5 E^D del maestro o maestra **(O)**

Comentarios/notas:

....

....

EVALUACIÓN			
1	2	3	4

ESTRUCTURA LINGÜÍSTICA

PUNTUACIÓN:

¿Se está haciendo su articulación cada vez más clara? ¿Está aumentando su vocabulario de hablante y oyente? ¿Está empezando a emitir más frases y oraciones de 2 y palabras?

1	2	3	4

6. Adultos conocidos por el niño comprenden la articulación de 10 de sus tactos sin necesidad de ver el objeto **(T)**

1	2	3	4

7. Tiene un vocabulario de oyente de 100 palabras (p.ej., *Tócate la nariz, Salta, Encuentra las llaves,* etc.) **(T)**

1	2	3	4

8. Emite 10 frases diferentes compuestas por 2 palabras sin hacer ecoicas (p.ej., mando, tacto, etc.) **(E)**

1	2	3	4

9. Usa la prosodia de forma natural (ritmo, acentuación, entonación) en 5 ocasiones en un día (p.ej., pone énfasis en ciertas palabras, p.ej., *¡Es míío!*) **(O)**

1	2	3	4

10. Tiene un vocabulario de hablante de 300 palabras (todas las operantes verbales, excepto la ecoica) **(E)**

Comentarios/notas:

....

....

(T) = Evaluación directa;   **(O)** = Observación;   **(E)** = Evaluación u observación;   **(TO)** = Observación cronometrada

EVALUACIÓN			
1	2	3	4

MANDOS

PUNTUACIÓN:

¿Utiliza mandos para solicitar información, usa como mando diferentes aspectos del habla, da introducciones a los demás?

1	2	3	4

11. Realiza mandos de forma espontánea para obtener información, utilizando preguntas con *cómo, cuál, qué, quién, dónde y cuándo* (p.ej., *¿Cómo te llamas?, ¿Dónde vamos?*) **(TO: 60 min.)**

12. Emite mandos educadamente para finalizar una actividad o retirar una operación motivadora (OM) en 5 circunstancias diferentes (p.ej., *Por favor, ¿puedes dejar de empujarme?; No, gracias; ¿Puedes apartarte, por favor?*) **(E)**

13. Emite mandos con 10 adjetivos, preposiciones o adverbios diferentes (p.ej., *Mi color esta roto, No lo saques, Ve rápido*) **(TO: 60 min.)**

14. Realiza peticiones, da instrucciones o explicaciones acerca de cómo hacer algo o cómo participar en una actividad; lo hace en 5 ocasiones (p.ej., *Primero les pones pegamento, luego los juntas; Siéntate aquí mientras yo busco un libro*) **(O)**

15. Emite mandos para que otros presten atención a su conducta intraverbal en 5 ocasiones (p.ej., *Escúchenme…, Les voy a contar…, Esto es lo que paso…, Les estoy explicando…,* etc.) **(O)**

Comentarios/notas:

EVALUACIÓN			
1	2	3	4

TACTO

PUNTUACIÓN:

¿Emite gran variedad de tactos? ¿Los tactos abarcan diferentes elementos del habla?

11. Tacta el color, la forma y la función de 5 objetos en un total de 15 ensayos. Cada objeto y pregunta se presentan de forma aleatoria (p.ej., *¿De qué color es la nevera?, ¿Qué forma tiene pelota?, ¿Qué haces con la cuchara?*) (Combina tacto e intraverbal) **(T)**

12. Tacta con 4 preposiciones o adverbios de lugar diferentes (p.ej., *dentro, fuera, sobre, bajo*) y con 4 pronombres o adjetivos posesivos (p.ej., *yo, tú, mi, mío*) **(E)**

13. Tacta 4 adjetivos diferentes (p.ej., grande, pequeño, largo, corto), excluyendo colores y formas, y 4 adverbios, incluidos adverbios adjetivales (p.ej., rápido, lento, silenciosamente, suavemente) **(E)**

14. Tacta con oraciones completas de 4 o más palabras, en 20 ocasiones **(E)**

15. Tiene un vocabulario de tacto de 1000 palabras (sujetos, verbos, adjetivos, etc.) previamente evaluados o provenientes de un listado de tactos conocidos **(T)**

Comentarios/notas:

(T) = Evaluación directa;　　**(O)** = Observación;　　**(E)** = Evaluación u observación;　　**(TO)** = Observación cronometrada

RESPUESTA DE OYENTE

EVALUACIÓN			
1	2	3	4

PUNTUACIÓN:

¿Comprende palabras complejas u oraciones que impliquen varios elementos del habla?

1	2	3	4

11. Selecciona objetos según el color y la forma dentro un conjunto de 6 estímulos parecidos formado por 4 colores y 4 formas (p.ej., *Encuentra el carro rojo, Encuentra la galleta cuadrada*, etc.) **(T)**

1	2	3	4

12. Sigue 2 instrucciones que incluyan 6 preposiciones o adverbios de lugar diferentes (p.ej., *Siéntate detrás de la silla*) y 4 pronombres diferentes (p.ej., *Toca mi oreja*) **(T)**

1	2	3	4

13. Elige objetos dentro de un conjunto de estímulos parecidos de acuerdo a 4 parejas de adjetivos antónimos (p.ej., grande-pequeño, largo-corto). Demuestra acciones según 4 parejas de adverbios antónimos (p.ej., hablar en voz baja-hablar voz alta, rápidamente-lentamente) **(T)**

1	2	3	4

14. Sigue instrucciones formadas por 3 pasos. Realiza esta acción con 10 series de instrucciones de este tipo (p.ej., *Recoge tu abrigo, cuélgalo, y siéntate*) **(T)**

1	2	3	4

15. Tiene un repertorio de oyente de 1200 palabras evaluadas al efecto o recogidas en una lista de palabras ya adquiridas (sujetos, verbos, adjetivos, etc.) **(T)**

Comentarios/notas:

....

....

HABILIDADES DE PERCEPCIÓN VISUAL E IGUALACIÓN A LA MUESTRA

EVALUACIÓN			
1	2	3	4

PUNTUACIÓN:

¿Completa diseños complejos, patrones y secuencias?

1	2	3	4

11. Empareja o iguala espontáneamente cualquier parte de una actividad manual teniendo en cuenta lo que ha realizado otra persona; lo hace en 2 ocasiones (p.ej., un compañero pinta un globo rojo y el niño pinta su globo de color rojo también) **(T)**

1	2	3	4

12. Demuestra igualación no idéntica generalizada dentro de un conjunto de 10 objetos desordenados habiendo 3 estímulos parecidos; lo hace con 25 objetos diferentes (ej., iguala objetos nuevos en el primer intento) **(T)**

1	2	3	4

13. Completa 20 diseños de bloques diferentes, *Tangram,* caja de formas, o actividades similares, con al menos 8 piezas diferentes **(T)**

1	2	3	4

14. Clasifica 5 objetos de 5 categorías diferentes, sin ningún modelo (p.ej., animales, ropa, muebles, etc.) **(T)**

1	2	3	4

15. Continua 20 patrones de 3 pasos, secuencias o series (p.ej., estrella, triangulo, corazón, estrella, triangulo...) **(T)**

Comentarios/notas:

....

....

(T) = Evaluación directa;   **(O) =** Observación;   **(E) =** Evaluación u observación;   **(TO) =** Observación cronometrada

EVALUACIÓN			
1	2	3	4

JUEGO INDEPENDIENTE   PUNTUACIÓN:

¿Emite conductas espontáneas de juego independiente? Es decir, ¿es el juego automáticamente reforzante?

1	2	3	4	
				11. Participa en juego simbólico en 5 ocasiones (p.ej., disfrazarse, crear una fiesta imaginaria con peluches, hacer como que cocina, etc.) **(O)**
				12. Repite una conducta motora gruesa de juego para mejorar su resultado. Lo realiza en 2 actividades (p.ej., lanzar la pelota para encestarla, chutar una pelota de fútbol, empujarse solo en un columpio, etc.) **(O)**
				13. Participa de forma independiente en actividades con manualidades durante 5 minutos (p.ej., dibujar, pintar con colores o con pinturas, cortar, pegar, etc.) **(O)**
				14. Participa de forma independiente en actividades de juego durante 10 minutos y sin necesitar ayudas ni reforzamiento por parte del adulto (p.ej., hacer una manualidad, disfrazarse, etc.) **(O)**
				15. Dibuja o escribe independientemente en libros de actividades pre-académicas durante 5 minutos (p.ej., seguir los puntos para completar una figura, juegos de igualación, laberintos, trazar letras y números uniendo puntos, etc.) **(O)**

Comentarios/notas:
....
....

EVALUACIÓN			
1	2	3	4

CONDUCTA SOCIAL Y JUEGO SOCIAL   PUNTUACIÓN:

¿Participa en actividades con otros niños y se relaciona con ellos verbalmente de forma espontánea?

1	2	3	4	
				11. Coopera de forma espontánea con un compañero para lograr un objetivo específico. Lo realiza en 5 ocasiones (p.ej., un niño sostiene un cubo, mientras el otro lo llena de agua) **(E)**
				12. Realiza mandos espontáneos de preguntas a sus compañeros en 5 situaciones (p.ej., ¿A dónde vas?, ¿Qué es eso?, ¿Quién eres?) **(TO: 60 min.)**
				13. Responde a 5 intraverbales diferentes realizadas por sus compañeros (p.ej., responde verbalmente a la intraverbal: ¿A qué quieres jugar?) **(E)**
				14. Participa en actividades de juego social simbólico con otros niños durante 5 minutos sin ayuda de ningún adulto (p.ej., disfrazarse, recrear escenas de películas, jugar a las casitas) **(O)**
				15. Participa en 4 intercambios verbales sobre un tema con otro niño; lo hace con 5 temas (p.ej., un grupo de niños que juega con una caja de arena conversan sobre cómo hacer un río) **(O)**

Comentarios/notas:
....
....

(T) = Evaluación directa;　　**(O)** = Observación;　　**(E)** = Evaluación u observación;　　**(TO)** = Observación cronometrada

EVALUACIÓN			
1	2	3	4

LECTURA

PUNTUACIÓN:

¿Se interesa por palabras y libros? ¿Tacta y discrimina letras como oyente? ¿Lee y comprende algunas palabras?

1	2	3	4	
				11. Presta atención cuando se le lee una historia durante el 75% del tiempo **(TO: 3 min.)**
				12. Selecciona la letra mayúscula correcta de entre un conjunto de 5 letras.; lo hace con 10 letras diferentes **(T)**
				13. Tacta 10 letras mayúscula cuando se le pide **(T)**
				14. Lee su nombre **(T)**
				15. Iguala 5 palabras con las fotos u objetos correspondientes de entre un conjunto de 5 objetos y viceversa (p.ej., iguala la palabra escrita pájaro con la foto de un pájaro) **(T)**

Comentarios/notas:
....
....

EVALUACIÓN			
1	2	3	4

ESCRITURA

PUNTUACIÓN:

¿Es capaz tanto de dibujar como de copiar letras y números? ¿Escribe su nombre sin ayuda?

1	2	3	4	
				11. Imita 5 acciones de escritura diferentes modeladas por un adulto utilizando un instrumento de escritura y una superficie para escribir **(T)**
				12. Traza independientemente líneas discontinuas formando 5 figuras geométricas diferentes (p.ej., círculo, cuadrado, triángulo, rectángulo, estrella, etc.) **(T)**
				13. Copia 10 letras o números legibles **(T)**
				14. Deletrea y escribe su propio nombre, sin copiarlo y de forma legible **(T)**
				15. Copia legiblemente las 27 letras mayúsculas y minúsculas del alfabeto español **(T)**

Comentarios/notas:
....
....

(T) = Evaluación directa; **(O)** = Observación; **(E)** = Evaluación u observación; **(TO)** = Observación cronometrada

RESPUESTAS DE OYENTE SEGÚN FUNCIÓN, CARACTERÍSTICA Y CLASE (LRFFC)

PUNTUACIÓN:

EVALUACIÓN			
1	2	3	4

¿Comprende, como oyente, múltiples palabras que describen o modifican sustantivos o verbos según sus funciones, características o clases?

1	2	3	4	
				11. Selecciona el objeto correcto de un conjunto de 10 que contiene 3 estímulos parecidos (p.ej., en color, forma o clase, pese a ser opciones incorrectas) ante 25 preguntas LRFFC con adverbio interrogativo *cómo, cuál, dónde qué o quién* **(T)**
				12. Selecciona objetos en libros de acuerdo a 2 elementos verbales, ya sean una característica (p.ej., color), una función (p.ej., para colorear) o una clase (p.ej., ropa), ante 25 respuestas LRFFC (p.ej., *¿Ves un animal negro?, ¿Puedes encontrar una prenda de vestir con botones?*) **(T)**
				13. Selecciona un objeto de una página de un libro o en el contexto natural de acuerdo a 3 elementos verbales (p.ej., verbo, adjetivo, preposición, pronombre) en 25 preguntas LRFFC con adverbio interrogativo *cómo, cuál, dónde qué o quién* (p.ej., *¿Qué fruta crece en los arboles?*) **(T)**
				14. Selecciona el objeto correcto en un libro o en el contexto natural cuando se le presentan alternativamente 4 preguntas LRFFC diferentes acerca de un solo tema (p.ej., *¿Dónde vive la vaca?, ¿Qué come la vaca? ¿Quién ordeña la vaca?*, etc.); lo hace con 25 temas diferentes **(T)**
				15. Demuestra 1000 respuestas LRFFC, evaluadas al efecto o de una lista de respuestas adquiridas sobre función, características y clases de objetos **(T)**

Comentarios/notas:

....

....

INTRAVERBAL

PUNTUACIÓN:

EVALUACIÓN			
1	2	3	4

¿Responde verbalmente al significado de las palabras utilizadas por otras personas?

1	2	3	4	
				11. Emite espontáneamente 20 comentarios intraverbales (pueden ser mandos en parte) (p.ej., Papá dice: *"Voy para el coche"* y el niño espontáneamente responde: *"Yo quiero ir"*) **(O)**
				12. Demuestra 300 respuestas intraverbales diferentes evaluadas al efecto o de una lista acumulada de intraverbales adquiridas **(T)**
				13. Responde 2 preguntas después de leer un párrafo de un libro (párrafo de 15 palabras o más); lo hace para 25 párrafos (p.ej., *¿Quién sopló a la casa hasta derribarla?*) **(T)**
				14. Describe 25 eventos diferentes, videos, historias, etc. con 8 o más palabras (p.ej., ante la instrucción: *"Dime que ocurrió"*, responde: *"El monstruo grande asustó a todo el mundo y corrieron hacia la casa"*) **(E)**
				15. Responde 4 preguntas diferentes acerca de un solo tema. Lo hace con 10 temas (p.ej., *¿Quién te lleva al parque?, ¿Cómo llegas al parque?, ¿A qué parque vas?, ¿Qué llevas al parque?*) **(T)**

Comentarios/notas:

....

....

(T) = Evaluación directa;   **(O)** = Observación;   **(E)** = Evaluación u observación;   **(TO)** = Observación cronometrada

EVALUACIÓN			
1	2	3	4

RUTINAS EN EL AULA Y HABILIDADES EN GRUPO

PUNTUACIÓN:

¿Sigue las rutinas en el aula y aprende con el formato de enseñanza en grupo?

1	2	3	4	
				11. Usa el baño y se lava las manos con ayuda verbal **(E)**
				12. Sigue 5 instrucciones o responde a preguntas realizadas en grupo; sin ayudas. El grupo está formado por 3 o más niños (p.ej., *Todo el mundo de pie, ¿Hay alguien que tenga una camisa roja puesta?*, etc.) **(O)**
				13. Trabaja de forma autónoma durante 5 minutos en un grupo y permanece en la tarea el 50% del tiempo **(O)**
				14. Adquiere 2 conductas diferentes durante una actividad de enseñanza en grupo de 15 minutos en la que participan 5 o más niños **(T)**
				15. Permanece sentado sin problemas de conducta y responde a 5 intraverbales en una sesión de grupo de 20 minutos en la que participan 5 niños **(T)**

Comentarios/notas:

....

....

EVALUACIÓN			
1	2	3	4

ESTRUCTURA LINGÜÍSTICA

PUNTUACIÓN:

¿Utiliza una sintaxis y estructura complejas, demostrando el uso correcto de plurales, posesivos, marcadores de tiempo, conjugaciones verbales, y desinencias de género y número en nombres y adjetivos?

1	2	3	4	
				11. Utiliza inflexiones nominales (morfemas flexivos y derivativos) en sustantivos de una misma raíz; lo hace para 10 sustantivos (p.ej., *amigo, amiga, amigos, amigas, amiguitos,* etc.) **(E)**
				12. Utiliza inflexiones verbales (morfemas flexivos) al combinar la raíz de diez verbos con sus morfemas de tiempo pasado (p.ej., *jugué*) y de tiempo futuro (p.ej., *jugaré*). Lo hace con 10 verbos **(E)**
				13. Emite 10 frases nominales diferentes que contienen al menos 3 palabras y 2 componentes gramaticales relacionados con el sustantivo (p.ej., adjetivos, preposiciones, pronombres) (p.ej., *Esta es mi marioneta, Yo quiero un helado de chocolate*) **(E)**
				14. Emite 10 frases con verbo diferentes con al menos 3 palabras y 2 componentes gramaticales relacionados con el verbo (p.ej., adverbios, pronombre, objeto directo, objeto indirecto) (p.ej., *Dame la mano, Sube las escaleras*, etc.) **(E)**
				15. Realiza frases que combinan verbos y sustantivos produciendo 10 sintagmas diferentes gramaticalmente correctos o 10 oraciones de 5 o más palabras (p.ej., *El perro me lamió la cara*) **(E)**

Comentarios/notas:

....

....

(T) = Evaluación directa;   **(O)** = Observación;   **(E)** = Evaluación u observación;   **(TO)** = Observación cronometrada

EVALUACIÓN			
1	2	3	4

PUNTUACIÓN:

MATEMÁTICAS

¿Demuestra habilidades matemáticas iniciales relacionadas con los números, las cantidades, y la habilidad de contar y medir?

1	2	3	4

11. Identifica como oyente los números 1 a 5 dentro de un conjunto de 5 números diferentes **(T)**

1	2	3	4

12. Tacta los números del 1 al 5 **(T)**

1	2	3	4

13. Cuenta un subconjunto de 1 a 5 objetos de un conjunto mayor con correspondencia biunívoca[1] (p.ej., *Dame 4 coches, Ahora dame 2 coches*, etc.) **(T)**

1	2	3	4

14. Identifica como oyente 8 comparaciones diferentes que implican medida (p.ej., *Muéstrame el grande/pequeño, Vierte más/menos, Elige el largo/corto,* etc.) **(T)**

1	2	3	4

15. Empareja correctamente un número escrito con una cantidad, y viceversa, con cantidades den entre 1 y 5 unidades (p.ej., iguala el número 3 con una imagen de 3 aviones) **(T)**

Comentarios/notas:

....

....

---

[1] N. del E.: *one-to-one correspondence*, en inglés, en el original.

Evaluación de Habilidades Ecoicas Tempranas (EESA)[1]
Dra. Barbara Esch, BCBA-D

Puntuar grupos 1 a 3: Anotar la mejor puntuación de 3 ensayos por objetivo

X = Sonido y número de sílabas correcto (1 punto)

1 = Inteligible, pero incorrecta; consonantes omitidas/incorrectas; sílabas en exceso ($1/2$ punto)

0 = No hay respuesta, vocales incorrectas o sílabas omitidas (0 puntos)

PUNTUACIÓN TOTAL
(Grupos 1 a 5)

EVALUACIÓN			
1	2	3	4

Grupo 1: Sílabas simples y duplicadas
Objetivos: las vocales y las consonantes[2] /b/, /m/, /n/, /p/, y /w/ en palabras de una sílaba y de sílabas duplicadas

- [ ] ah
- [ ] no
- [ ] ven
- [ ] pan
- [ ] ¡oh oh!
- [ ] ¡oh no!
- [ ] yo
- [ ] mamá
- [ ] papá
- [ ] pon
- [ ] bibi
- [ ] mío
- [ ] ni-no-ni-no
- [ ] muuu
- [ ] pipí
- [ ] baba
- [ ] popó
- [ ] nana
- [ ] nene
- [ ] ay
- [ ] pío pío
- [ ] ya
- [ ] ¡miau miau!
- [ ] ¡guau!
- [ ] ¡uy!

Subtotal Grupo 1

EVALUACIÓN			
1	2	3	4

Grupo 2: Palabras simples
Objetivo: se añaden las consonantes[3] /ñ/, /d/, /t/, /k/, /g/, /f/, /s/, /ch/, y /l/, y las estructuras silábicas comunes VCV, CVCV, CVCCV, VCVCV y CVVCV

- [ ] mano
- [ ] melón
- [ ] boca
- [ ] pipo
- [ ] cama
- [ ] galleta
- [ ] bueno
- [ ] baño
- [ ] canto
- [ ] ven
- [ ] coche
- [ ] agua
- [ ] coche
- [ ] gato
- [ ] bol
- [ ] bibe
- [ ] dos
- [ ] busca
- [ ] bajo
- [ ] caballo
- [ ] vaca
- [ ] tele
- [ ] vaso
- [ ] peine
- [ ] pies
- [ ] cuna
- [ ] más
- [ ] foto
- [ ] luna
- [ ] acaba

Subtotal Grupo 2

EVALUACIÓN			
1	2	3	4

Grupo 3: Frases con dos o tres palabras

- [ ] mi juguete
- [ ] eso es mío
- [ ] mi perro
- [ ] yo veo
- [ ] me gusta X
- [ ] a recoger
- [ ] bolsa de patatas
- [ ] bonita pelota
- [ ] gato bonito
- [ ] tren rápido
- [ ] quiero X
- [ ] ven conmigo
- [ ] vamos a casa
- [ ] adiós X
- [ ] chócala
- [ ] cole papá
- [ ] cuento mamá
- [ ] pie grande
- [ ] dame pan
- [ ] más leche
- [ ] dos galletas
- [ ] pega aquí
- [ ] helado fresa
- [ ] sopa mesa
- [ ] cuántos hay
- [ ] más juego
- [ ] abre puerta
- [ ] papá come
- [ ] juguetes fuera
- [ ] vamos al parque

Subtotal Grupo 3

EVALUACIÓN			
1	2	3	4

Grupo 4: Prosodia en frases habladas   (Modelo: enfatizar las sílabas en mayúscula)

X = Énfasis en las palabras correctas (1 punto)

1 = Énfasis en sílabas diferentes a las sílabas objetivo ($1/2$ punto)

0 = Respuesta monótona, sin énfasis (0 puntos)

- [ ] ¡**OH OH**!
- [ ] ¡Aquí **SÍ**!
- [ ] dame **MÁS**
- [ ] ¡Oh **NO**!
- [ ] **OTRA** vez
- [ ] ¡es **MÍO**!
- [ ] ¡a **MÍ**!
- [ ] ven **AQUÍ**
- [ ] ... dos y **TRES**
- [ ] preparados, listos, **YA**

Subtotal Grupo 4

EVALUACIÓN			
1	2	3	4

Grupo 5: Prosodia en otros contextos

X = Respuesta correcta o casi correcta (1 punto)

0 = La respuesta no se ajusta al modelo (0 puntos)

Tono

- [ ] Hace ecoica de la tonalidad en una o dos líneas de una canción
- [ ] Hace ecoicas modulando el tono (p.ej., sonido de una ambulancia: *niiii-noo-niiii-noo...*)

Volumen

- [ ] Emite ecoicas susurrando
- [ ] Emite ecoicas en voz baja o voz alta (p.ej., *adiós, ¡ADIÓS!*)

Duración

- [ ] Mantiene un sonido durante unos segundos (p.ej., *aaaaaaaa*)

Subtotal Grupo 5

EVALUACIÓN			
1	2	3	4

---

[1] Adaptación al español de Aida Tarifa Rodríguez, BCBA y Javier Virués Ortega, BCBA-D.

[2] Adquiridas entre los 18 y 24 meses de edad en hispanohablantes de desarrollo típico.

[3] Adquiridas entre los 24 y 36 meses de edad en hispanohablantes de desarrollo típico.

(0) = Sin problema; **(1) =** Problema ocasional; **(2) =** Problema moderado; **(3) =** Problema persistente; **(4) =** Problema grave

	EVALUACIÓN			
	1	2	3	4
1. Problemas de conducta PUNTUACIÓN:				

0. No emite problemas de conducta significativos.
1. Emite problemas de conducta leves cada semana, pero se le pasa rápidamente.
2. Emite diversos problemas de conducta leves cada día (p.ej., llantos, conducta negativista, tirarse al suelo, etc.).
3. Emite problemas de conducta graves cada día (p.ej., rabietas, arroja o daña objetos, etc.).
4. Emite con frecuencia problemas de conducta graves, los cuales suponen un peligro para sí mismo o para otros (p.ej., agresión, autolesión, etc.).

	EVALUACIÓN			
	1	2	3	4
2. Control instruccional (conductas de escape y evitación ante demandas instruccionales) PUNTUACIÓN:				

0. Normalmente coopera con las instrucciones y demandas de los adultos.
1. Algunas demandas evocan conductas leves de desobediencia, pero se le pasan con facilidad.
2. Realiza conductas de desobediencia unas cuantas veces al día, con rabietas leves, u otros problemas de conducta leves.
3. Realiza conductas de desobediencia varias veces a día, con rabietas más prolongadas y conductas más graves.
4. Las conductas de desobediencia se presentan a lo largo de todo el día pudiendo ser graves y peligrosas.

	EVALUACIÓN			
	1	2	3	4
3. Repertorio de mandos ausente, débil o alterado PUNTUACIÓN:				

0. El repertorio de mandos está aumentando de forma constante y está en proporción con los demás hitos.
1. Emite mandos, firme repertorio ecoico, pero las puntuaciones de los hitos de tacto y de oyente son más altas que la de mandos.
2. Los mandos se limitan a un conjunto reducido de reforzadores tangibles, a pesar de tener un firme repertorio ecoico, de tactos y de oyente.
3. Los mandos son muy limitados, los usa de memoria, se producen errores en secuencia[1], las respuestas no coinciden con las operaciones motivadoras, los problemas de conudcta tienen función de mando. Además, aparecen mandos excesivos o inapropiados.
4. No emite mandos efectivos, existen problemas de conducta asociados y además pueden suceder problemas similares a los mencionados en el punto 3.

	EVALUACIÓN			
	1	2	3	4
4. Repertorio de tacto ausente, débil o alterado PUNTUACIÓN:				

0. El repertorio de tactos está aumentando de forma constante y está en proporción con los demás hitos.
1. Emite tactos, firme repertorio ecoico, pero las habilidades de oyente son más numerosas que las de tactos.
2. Se producen errores en los tactos, aún teniendo buenas habilidades ecoicas y de discriminación como oyente. Los tactos dependen de ayudas o bien aparecen respuestas erróneas en secuencia (scrolling). Se necesita de mantenimiento.
3. Se producen muchos errores de tactos a pesar de tener buenas habilidades ecoicas y de oyente, se estanca en sustantivos y verbos, emite tactos de memoria, emite tactos formados por una sola palabra a pesar de realizar discriminaciones como oyente de varias palabras. Emite tactos sin espontaneidad. La generalización falla.
4. Mínimo repertorio de tactos, a pesar de tener buenas habilidades para realizar ecoicas y discriminar como oyente. Múltiples intentos de enseñar tactos sin éxito.

---

[1] N. del E.: *scrolling*, en inglés, en el original.

(0) = Sin problema; **(1) =** Problema ocasional; **(2) =** Problema moderado; **(3) =** Problema persistente; **(4) =** Problema grave

	EVALUACIÓN		
1	2	3	4

5. Imitación motora ausente, débil o alterada   PUNTUACIÓN:

0. El repertorio de imitación motora está aumentando de forma constante y está en proporción con los demás hitos.
1. Se produce la imitación motora, pero con puntuaciones más bajas en comparación al resto de hitos.
2. La imitación no se generaliza fácilmente, es inapropiada o hay una dependencia de ayudas imitativas.
3. La imitación depende de ayudas físicas o verbales, las operaciones motivadoras son débiles para imitar. Tiene habilidades en otras áreas.
4. Puede que tenga o no tenga habilidades imitativas, pero no se producen de forma funcional.

	EVALUACIÓN		
1	2	3	4

6. Repertorio ecoico ausente, débil o alterado   PUNTUACIÓN:

0. El repertorio ecoico está aumentando de forma constante y está en proporción con los demás hitos.
1. Se emiten ecoicas, pero la imitación motora es notablemente más fuerte que las ecoicas.
2. Hay dependencia de ayudas ecoicas, es difícil que realice la transferencia de ecoicas y no generaliza las habilidades ecoicas.
3. Demuestra ecolalia o ecolalia demorada, requiere de enseñanza intensiva para adquirir nuevas ecoicas.
4. No presenta habilidades ecoicas, pero tiene otras habilidades; utiliza signos o PECS. El entrenamiento ecoico puede evocar problemas de conducta.

	EVALUACIÓN		
1	2	3	4

7. Habilidades de percepción visual e igualación a la muestra ausentes, débiles o alteradas   PUNTUACIÓN:

0. Las habilidades visuales y de igualación aumentan de forma constante y están en proporción con los demás hitos.
1. Se da igualación, pero las puntuaciones son más bajas en comparación al resto de hitos, en especial las habilidades de discriminación como oyente.
2. Aparecen errores en tareas de igualación debidos a errores en secuencia (scrolling), a sesgos de posición, al deficientemente examen de los estímulos previo a la elección, o a la selección del último estímulo que fue seguido del reforzador.
3. Aparecen problemas de conudcta al realizar ensayos de igualación a la muestra, no generaliza, tan solo generaliza con conjuntos pequeños de estímulos y aparecen dificultades cuando se emplean estímulos parecidos.
4. No presenta habilidades de igualación, pero tiene otras habilidades. Repetidos intentos fallidos de enseñar igualación a la muestra. Aparecen conductas de escape y evitación.

	EVALUACIÓN		
1	2	3	4

8. Repertorio de oyente ausente, débil o alterado   PUNTUACIÓN:

0. Las habilidades de oyente se expanden de forma constante y en proporción con los demás hitos.
1. Aparecen discriminaciones de oyente, pero las puntuaciones son más bajas que las de los otros hitos, especialmente, el tacto.
2. Aparecen errores en las discriminaciones de oyente debidos a errores en secuencia (scrolling), a sesgos de posición, al deficientemente examen de los estímulos previo a la elección, o a la selección del último estímulo que fue seguido del reforzador.
3. Aparecen problemas de conducta, no generaliza (tan solo con conjuntos pequeños de estímulo), dificultades con estímulos verbales complejos.
4. No presenta habilidades de discriminación del oyente, pero tiene otras habilidades. Repetidos intentos fallidos de enseñar discriminación de oyente. Aparecen conductas de escape y evitación.

0) = Sin problema; **(1)** = Problema ocasional; **(2)** = Problema moderado; **(3)** = Problema persistente; **(4)** = Problema grave

	EVALUACIÓN		
1	2	3	4

9. Habilidades Intraverbales ausentes, débiles o alteradas   PUNTUACIÓN:

0. El repertorio intraverbal está aumentando de forma constante y está en proporción con los demás hitos.
1. Responde a intraverbales, pero las puntuaciones son más bajas que las de los otros hitos en comparación con los tactos, la discriminación de oyente y las respuestas de oyente según función, característica o clase.
2. Aparecen errores al responder a intraverbales, respuestas memorizadas, errores en secuencia (*scrolling*), dependencia de ayudas, espontaneidad nula o emisión de ecolalias.
3. Progreso limitado en el entrenamiento intraverbal con errores frecuentes, respuestas memorizadas, las intraverbales se olvidan con facilidad, no hay generalización ni conducta intraverbal con compañeros. Tiene habilidades de mandos, tactos y discriminación de oyente.
4. No emite conductas intraverbales, tiene un repertorio de respuestas memorizadas a pesar de tener habilidades de mandos, tactos y de discriminación de oyente.

	EVALUACIÓN		
1	2	3	4

10. Habilidades sociales ausentes, débiles o alteradas   PUNTUACIÓN:

0. Las habilidades sociales son apropiadas para su edad, aumentan de forma constante y están en proporción con los demás hitos.
1. Se produce la conducta social, pero las puntuaciones quedan por detrás de los otros hitos.
2. Participa en juego paralelo, no inicia interacciones sociales y raramente imita o dirige mandos a sus compañeros.
3. No sigue turnos al relacionarse, ni comparte objetos, no responde a los mandos de sus compañeros, ni coopera con sus compañeros, no participa en actividades de juego social o simbólico, aunque tiene habilidades de lenguaje.
4. La mayoría del tiempo juega solo, no emite interacciones verbales o no verbales con sus compañeros. Puede tener otras habilidades con puntuaciones altas.

	EVALUACIÓN		
1	2	3	4

11. Dependencia de ayudas   PUNTUACIÓN:

0. Aprende sistemáticamente nuevas habilidades y no muestra señales de depender de las ayudas.
1. A menudo se requieren varios ensayos para desvanecer las ayudas, pero normalmente el control de estímulo se transfiere con éxito.
2. Algunas habilidades solo se emiten con ayudas, como las intraverbales, ayudas sociales o discriminaciones como oyente.
3. Normalmente es difícil eliminar las ayudas, por lo general son sutiles y las habilidades verbales son limitadas.
4. Es muy difícil desvanecer las ayudas, muchas habilidades dependen de las ayudas ecoicas, verbales e imitativas.

	EVALUACIÓN		
1	2	3	4

12. Respuestas erróneas en secuencia (*scrolling*)   PUNTUACIÓN:

0. No emite respuestas erróneas en secuencia en ninguno de sus repertorios.
1. Realiza respuestas erróneas en secuencia cuando se añaden palabras nuevas. Después de varios ensayos deja de realizar las respuestas erróneas en secuencia.
2. Los errores en secuencia son un problema frecuente, requiere de muchos ensayos para que cesen logrando, finalmente, aprender nuevas palabras.
3. Las respuestas erróneas en secuencia siguen apareciendo con palabras previamente adquiridas y se producen con uno o todos los mandos, intraverbales o discriminaciones como oyente, pero no con la ecoica o la imitación. Aprende muy pocas palabras nuevas.
4. Las respuestas erróneas en secuencia se producen casi en cada ensayo. Existe una larga historia de fracaso con el objetivo de detener este tipo de respuestas.

(0) = Sin problema; **(1) =** Problema ocasional; **(2) =** Problema moderado; **(3) =** Problema persistente; **(4) =** Problema grave

EVALUACIÓN			
1	2	3	4

13. Respuestas de escaneo visual alteradas — PUNTUACIÓN:

0. Por lo general, escanea visualmente todo el conjunto de estímulos, si la tarea lo requiere.
1. Puede presentar dificultades ante conjuntos de muchos estímulos y con estímulos parecidos, pero después de 2 ensayos responde con éxito.
2. El escaneo visual es débil, suele necesitar ayuda, se limita a conjuntos de 5 o menos estímulos y el campo visual de escaneo es limitado.
3. El escaneo visual es limitado (entre 2 o 3 estímulos). Las respuestas dependen de las ayudas. Respuestas débiles de igualación a la muestra, discriminación del oyente y respuestas de oyente según característica, función o clase.
4. No escanea visualmente conjuntos de estímulos, responde antes de tiempo, suelen evocar problemas de conducta.

EVALUACIÓN			
1	2	3	4

14. No logra realizar discriminaciones condicionales — PUNTUACIÓN:

0. Realiza discriminaciones condicionales obteniendo puntuaciones que están al mismo nivel que el resto de los hitos.
1. Presenta problemas cuando las discriminaciones condicionales requieren más esfuerzo o atención (p.ej., estímulos parecidos, conjuntos con un número considerable de estímulos, etc.).
2. Progreso limitado con tareas que requieren discriminaciones condicionales (discriminación como oyente; respuestas de oyente según característica, función o clase; intraverbales), pero progresa adecuadamente en otras áreas.
3. Comete errores en la mayoría de las tareas que requieren discriminaciones condicionales (excepto igualación a la muestra). Presenta problemas de conducta y una historia de cometer errores en este tipo de tareas.
4. No realiza discriminaciones condicionales, pero puede hacer discriminaciones simples (ej. mandos básicos, ecoicas, tactos, imitación).

EVALUACIÓN			
1	2	3	4

15. No logra generalizar — PUNTUACIÓN:

0. Demuestra tanto generalización de estímulo como de respuesta al mismo nivel que el resto de sus otras habilidades.
1. Demuestra alguna dificultad con la generalización de estímulo o generaliza tan solo ciertas habilidades.
2. Necesita de un entrenamiento formal de generalización en la mayoría de las habilidades, pero al final lo logra.
3. Necesita de un entrenamiento de generalización exhaustivo con la mayoría de habilidades. A menudo se pierden habilidades generalizadas.
4. No logra generalizar más allá de respuestas sencillas. Aparecen respuestas memorizadas. Progreso lento.

EVALUACIÓN			
1	2	3	4

16. Operaciones motivadoras (OM) débiles o atípicas — PUNTUACIÓN:

0. Demuestra un amplio rango de operaciones motivadoras apropiadas para su edad.
1. Los adultos comienzan a notar que los intereses de motivación son diferentes en comparación a los niños de su edad.
2. Operaciones motivadoras para patrones de conducta extrañas, operaciones motivadoras débiles por reforzadores que son apropiados para su edad, operaciones motivadoras sociales débiles.
3. Operaciones motivadoras aberrantes para reforzadores no aprendidos, los valores de las OM empiezan a devaluarse rápidamente, presencia elevada de estereotipias.
4. Operaciones motivadoras muy limitadas, operaciones motivadoras extrañas que son potentes, muy pocas operaciones motivadoras adecuadas para su edad.

0) = Sin problema; **(1) =** Problema ocasional; **(2) =** Problema moderado; **(3) =** Problema persistente; **(4) =** Problema grave

17. La dificultad de la respuesta debilita las operaciones motivadoras

PUNTUACIÓN:

EVALUACIÓN			
1	2	3	4

0. No suele perder el interés por los reforzadores cuando las demandas son razonables.
1. Pierde el interés cuando las demandas son más exigentes.
2. Presenta operaciones motivadoras fuertes, pero solo tolera realizar un pequeño conjunto de respuestas antes de perder el interés por el reforzador.
3. Muestra rápidamente una pérdida de interés cuando se requieren algunas respuestas.
4. Ante la más mínima demanda, se aleja de los reforzadores más potentes.

18. Dependencia del reforzamiento

PUNTUACIÓN:

EVALUACIÓN			
1	2	3	4

0. No tiene ningún problema al cambiar de un programa de reforzamiento intermitente reforzadores sociales o verbales.
1. Demuestra alguna dificultad al cambiar de reforzadores sociales o intermitentes, pero termina adaptándose.
2. Necesita reforzadores comestibles o tangibles bajo un programa de reforzamiento intermitente.
3. Le resulta difícil trabajar sin utilizar reforzadores tangibles o comestibles con frecuencia. Muestra conductas de escape o evitación.
4. Depende de la entrega de reforzadores comestibles o tangibles después de cada respuesta para aprender.

19. Autoestimulación

PUNTUACIÓN:

EVALUACIÓN			
1	2	3	4

0. No emite conductas de autoestimulación o repetitivas.
1. Emite conductas de autoestimulación, pero estas no interfieren con otras actividades.
2. Muestra una tasa considerablemente alta de respuestas de autoestimulación que a veces compiten con otras actividades.
3. Emite conductas de autoestimulación a una tasa elevada que compite con actividades sociales y de aprendizaje.
4. Emite conductas de autoestimulación de forma constante. El resto de reforzadores son débiles.

20. Problemas de articulación

PUNTUACIÓN:

EVALUACIÓN			
1	2	3	4

0. La mayoría de los adultos puede entender su conducta vocal.
1. Presenta dificultad en la pronunciación de ciertas palabras, pero normalmente se le puede entender, y su articulación va mejorando.
2. Personas que no están familiarizadas con el estudiante tienen dificultad en entenderle, sin embargo, los demás hitos se encuentran en el Nivel 2.
3. Habilidades vocales muy limitadas y muestra gran variedad de errores de articulación.
4. No es vocal o tiene un habla completamente ininteligible, a pesar de que otros hitos tengan puntuaciones elevadas.

21. Conducta obsesivo-compulsiva

PUNTUACIÓN:

EVALUACIÓN			
1	2	3	4

0. No demuestra ningún tipo de conducta obsesiva que interfiera con el aprendizaje.
1. Presenta algunas obsesiones menores, pero las supera fácilmente y no interfieren con el aprendizaje.
2. Varias obsesiones. Realiza problemas de conducta leves cuando no se cumplen sus obsesiones. Pese a ello, participa habitualmente en actividades de aprendizaje con pocas interrupciones.
3. Varias obsesiones. Hay problemas de conducta. Con frecuencia no realiza tareas hasta que hace la conducta obsesiva. Interrumpe el aprendizaje.
4. Las obsesiones fuertes son el foco principal de cada día, pueden consumir una cantidad significativa de tiempo, los problemas de conducta pueden ser graves si no se cumplen las obsesiones. Normalmente la actividad de aprendizaje se ve interrumpida.

(0) = Sin problema; **(1)** = Problema ocasional; **(2)** = Problema moderado; **(3)** = Problema persistente; **(4)** = Problema grave

22. Conducta hiperactiva

	EVALUACIÓN			
PUNTUACIÓN:	1	2	3	4

0. No hay hiperactividad excesiva comparado con otros niños de desarrollo típico, atiende a tareas sin ninguna dificultad.
1. En ocasiones emite conductas hiperactivas o no presta atención, pero estas conductas no interfieren con el aprendizaje ni con las actividades diarias.
2. Se mueve con frecuencia, está inquieto y le cuesta atender a las tareas. El aprendizaje se ve interrumpido.
3. A menudo es difícil control la conducta hiperactiva, no puede esperar en fila, ni sentarse tranquilamente o permanecer realizando una tarea más de un par de minutos. Requiere ayudas con frecuencia.
4. Está constantemente en movimiento, inquieto, compulsivo, se sube a los muebles, puede hablar excesivamente, es difícil mantenerlo en cualquier actividad académica o social. El aprendizaje se ve seriamente afectado.

23. No logra hacer contacto ocular o prestar atención a las personas

	EVALUACIÓN			
PUNTUACIÓN:	1	2	3	4

0. Hace contacto ocular con otras personas, el cual es apropiado para su edad. Presta atención a otras personas.
1. Los adultos comienzan a notar que el contacto ocular es diferente al de otros niños.
2. Con frecuencia no hace contacto ocular, no presta atención a caras o a personas, tal y como lo hacen iguales de su misma edad.
3. No hace contacto ocular mientras emite mandos y, por lo general, le cuesta establecer contacto ocular. Suele apartar la mirada cuando habla con otros, se fija más en los objetos que en las personas.
4. Casi nunca hace contacto ocular, evita a otras personas, pero puede tener habilidades verbales.

24. Sensibilidad sensorial

	EVALUACIÓN			
PUNTUACIÓN:	1	2	3	4

0. No muestra ningún tipo de problema relacionado con estímulos sensoriales.
1. Los adultos comienzan a notar que la sensibilidad a varios estímulos es diferente a la de otros niños.
2. Cierta estimulación sensorial puede afectarle, presenta una leve sensibilidad que no suele interferir en actividades del aprendizaje.
3. Respendo con frecuencia a ciertos estímulos sensoriales con conductas de escape (p.ej., se tapa los oídos, cierra los ojos).
4. Reacciona sistemáticamente ante ciertos estímulos sensoriales con problemas de conducta, tales como rabietas o conducta agresiva, la presencia de ciertos estímulos compite con actividades educativas.

Nombre	
Fecha de nacimiento	

Edad a evaluar	1		2		3		4	

Clave:	Puntuación	Fecha	Color	Profesional
1ª PRUEBA:				
2ª PRUEBA:				
3ª PRUEBA:				
4ª PRUEBA:				

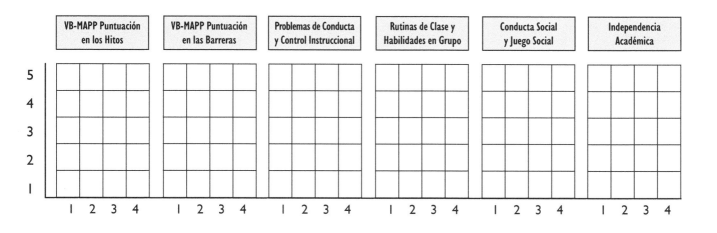

VB-MAPP Puntuación en los Hitos — VB-MAPP Puntuación en las Barreras — Problemas de Conducta y Control Instruccional — Rutinas de Clase y Habilidades en Grupo — Conducta Social y Juego Social — Independencia Académica

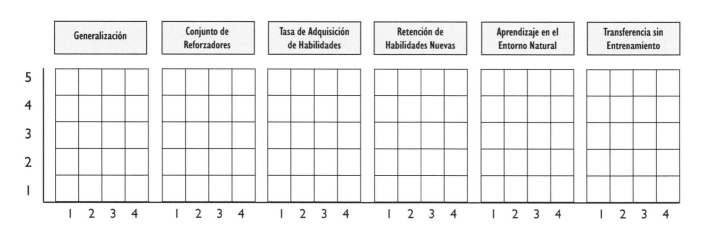

Generalización — Conjunto de Reforzadores — Tasa de Adquisición de Habilidades — Retención de Habilidades Nuevas — Aprendizaje en el Entorno Natural — Transferencia sin Entrenamiento

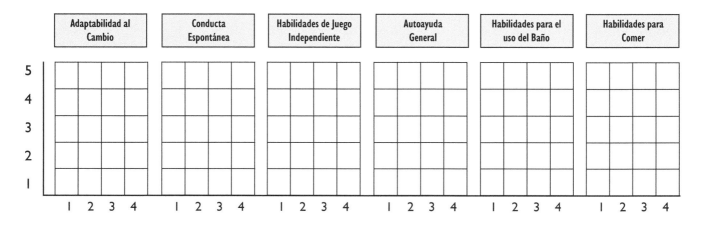

Adaptabilidad al Cambio — Conducta Espontánea — Habilidades de Juego Independiente — Autoayuda General — Habilidades para el uso del Baño — Habilidades para Comer

Califique al niño en una escala de 1 a 5 en cada una de las áreas

	EVALUACIÓN			
	1	2	3	4

1. VB-MAPP Puntuación de la evaluación de los hitos   PUNTUACIÓN:

1. Tiene de 0 a 25 puntos en la Evaluación de los hitos.
2. Tiene de 26 a 50 puntos en la Evaluación de los hitos.
3. Tiene de 51 a 100 puntos en la Evaluación de los hitos.
4. Tiene de 101 a 135 puntos en la Evaluación de los hitos.
5. Tiene de 136 a 170 puntos en la Evaluación de los hitos.

	EVALUACIÓN			
	1	2	3	4

2. VB-MAPP Puntuación de la evaluación de las barreras   PUNTUACIÓN:

1. Tiene de 56 a 96 puntos en la Evaluación de las barreras.
2. Tiene de 31 a 55 puntos en la Evaluación de las barreras.
3. Tiene de 21 a 30 puntos en la Evaluación de las barreras.
4. Tiene de 11 a 20 puntos en la Evaluación de las barreras.
5. Tiene de 0 a 10 puntos en la Evaluación de las barreras.

	EVALUACIÓN			
	1	2	3	4

3. VB-MAPP Puntuación de la evaluación de las barreras en problemas de conducta y control instruccional   PUNTUACIÓN:

1. Una puntuación total de 6 o 7 en las problemas de conducta y control instruccional en la Evaluación de las barreras.
2. Una puntuación total de 5 en las problemas de conducta y control instruccional en la Evaluación de las barreras.
3. Una puntuación total de 3 o 4 en las problemas de conducta y control instruccional en la Evaluación de las barreras.
4. Una puntuación total de 2 en las problemas de conducta y control instruccional en la Evaluación de las barreras.
5. El niño no tiene problemas de conducta, demostrado por una puntuación de 0 o 1 en la Evaluación de las barreras.

	EVALUACIÓN			
	1	2	3	4

4. VB-MAPP Puntuación de la evaluación de los hitos en las rutinas de aula y habilidades de grupo   PUNTUACIÓN:

1. Tiene 2 puntos en las rutinas de aula y las habilidades de grupo en la Evaluación de los hitos.
2. Tiene de 3 a 4 puntos en las rutinas de aula y las habilidades de grupo en la Evaluación de los hitos.
3. Tiene de 5 a 7 puntos en las rutinas de aula y las habilidades de grupo en la Evaluación de los hitos.
4. Tiene de 8 a 9 puntos en las rutinas de aula y las habilidades de grupo en la Evaluación de los hitos.
5. Tiene 10 puntos en las rutinas de aula y las habilidades de grupo en la Evaluación de los hitos.

	EVALUACIÓN			
	1	2	3	4

5. VB-MAPP Puntuación de la evaluación de los hitos en las habilidades sociales y juego social   PUNTUACIÓN:

1. Tiene de 2 a 3 puntos en las habilidades sociales y juego social en la Evaluación de los hitos.
2. Tiene de 4 a 5 puntos en las habilidades sociales y juego social en la Evaluación de los hitos.
3. Tiene de 6 a 9 puntos en las habilidades sociales y juego social en la Evaluación de los hitos.
4. Tiene de 10 a 12 puntos en las habilidades sociales y juego social en la Evaluación de los hitos.
5. Tiene de 13 a 15 puntos en las habilidades sociales y juego social en la Evaluación de los hitos.

Califique al niño en una escala de 1 a 5 en cada una de las áreas

6. Trabaja independientemente en tareas académicas

PUNTUACIÓN:

EVALUACIÓN			
1	2	3	4

1. Trabaja independientemente en tareas académicas como mínimo 30 segundos, como máximo recibe una ayuda de un adulto.
2. Trabaja independientemente en tareas académicas como mínimo 1 minuto, como máximo recibe una ayuda de un adulto.
3. Trabaja independientemente en tareas académicas como mínimo 2 minutos, sin ayudas para permanecer en la tarea.
4. Trabaja independientemente en tareas académicas como mínimo 5 minutos, sin ayudas para permanecer en la tarea.
5. Trabaja independientemente en tareas académicas como mínimo 10 minutos, sin ayudas para permanecer en la tarea.

7. Generalización de las habilidades a través del tiempo, lugares, conductas, materiales y personas diferentes

PUNTUACIÓN:

EVALUACIÓN			
1	2	3	4

1. Generaliza algunas habilidades nuevas a diferentes personas y a través del tiempo, pero no sucede la generalización con materiales.
2. Generaliza a materiales nuevos, después de haber trabajado exhaustivamente el entrenamiento de ejemplares múltiples.
3. Demuestra espontáneamente, generalización de estímulos en contexto natural, en 10 ocasiones.
4. Demuestra espontáneamente, generalización de respuestas en contexto natural, en 10 ocasiones.
5. Demuestra sistemáticamente la generalización de estímulo y de respuesta en el primero o segundo ensayo.

8. Conjunto de objetos y situaciones que funcionan como reforzadores

PUNTUACIÓN:

EVALUACIÓN			
1	2	3	4

1. Los reforzadores por lo general son comestibles, líquidos y contacto físico (reforzadores que no requieren aprendizaje).
2. Los reforzadores son tangibles, sensoriales o manipulables como juguetes, objetos de causa y efecto, música o muñecas.
3. Los reforzadores son sociales (p.ej., atención), mediados por compañeros (p.ej., juegos), relacionados con lugares específicos (p.ej., parques, tiendas), y menos frecuentes; son estos reforzadores aprendidos los que se utilizan principalmente para la enseñanza.
4. Los reforzadores son intermitentes, sociales, automático e implican una amplia gama de objetos y actividades.
5. Los reforzadores son intermitentes, sociales, apropiados para su edad, variados e implican información verbal y cambian con frecuencia.

9. Tasa de adquisición de habilidades nuevas

PUNTUACIÓN:

EVALUACIÓN			
1	2	3	4

1. Normalmente requiere dos o más semanas de entrenamiento y cientos de ensayos para adquirir una nueva habilidad.
2. Requiere al menos una semana de entrenamiento y 100 o más ensayos para adquirir una habilidad nueva.
3. Adquiere varias habilidades nuevas por semana con un promedio de menos de 50 ensayos de entrenamiento.
4. Adquiere varias habilidades nuevas por semana con un promedio de menos de 25 ensayos de entrenamiento.
5. Adquiere habilidades nuevas diariamente y de forma constante con un promedio de 5 ensayos o menos.

10. Retención de habilidades nuevas

PUNTUACIÓN:

EVALUACIÓN			
1	2	3	4

1. Retiene una habilidad nueva como mínimo 10 minutos, después de haberla calificado como correcta en la sesión de aprendizaje.
2. Retiene una habilidad nueva como mínimo 1 hora, después de haberla calificado como correcta en la sesión de aprendizaje.
3. Retiene una habilidad nueva como mínimo 24 horas, después de haberla calificado como correcta en 5 o menos ensayos de mantenimiento.
4. Retiene las habilidades adquiridas después de 24 horas sin realizar ensayos de mantenimiento.
5. Normalmente retiene las habilidades adquiridas durante al menos 1 semana, sin ensayos de mantenimiento.

Califique al niño en una escala de 1 a 5 en cada una de las áreas

	EVALUACIÓN			
PUNTUACIÓN:	1	2	3	4

11. Aprendizaje en el contexto natural

1. Adquiere 2 habilidades motoras en el contexto natural, sin entrenamiento intensivo.
2. Adquiere 5 mandos o tactos en el contexto natural, sin entrenamiento intensivo.
3. Adquiere 25 mandos o tactos en el contexto natural, sin entrenamiento intensivo.
4. Adquiere 25 intraverbales en el contexto natural, sin entrenamiento intensivo.
5. Aprende habilidades con facilidad, a diario y de forma constante en un contexto natural o social sin entrenamiento intensivo.

	EVALUACIÓN			
PUNTUACIÓN:	1	2	3	4

12. Demuestra transferencia entre operantes verbales sin entrenamiento

1. Realiza transferencia de ecoica a mando o tacto en 2 respuestas verbales con 2 o menos ensayos de transferencia.
2. Realiza transferencia de ecoica a mando o tacto en 5 respuestas verbales sin necesidad de realizar ensayos de transferencia.
3. Realiza transferencia de tacto a mando en 10 respuestas verbales sin entrenamiento.
4. Realiza transferencia de tacto a intraverbal en 10 temas o situaciones sin entrenamiento.
5. Realiza diariamente transferencias que implican partes avanzadas del habla, tanto en habilidades de hablante como de oyente.

	EVALUACIÓN			
PUNTUACIÓN:	1	2	3	4

13. Adaptabilidad al cambio

1. Se adapta a algunos cambios menores con ayudas verbales, pero puede emitir algún problema de conducta.
2. Acepta cambios menores, da notables muestras de ansiedad, requiere una preparación substancial para el cambio.
3. Los cambios le hacen enfadarse y protestar, puede perseverar, pero al final se adapta al cambio.
4. Se adapta al cambio rápidamente y sin emitir problemas de conducta, pero muestra algunas señales de ansiedad.
5. Maneja bien los cambios en las rutinas, e ignora o maneja otras distracciones y tipos de cambio.

	EVALUACIÓN			
PUNTUACIÓN:	1	2	3	4

14. Conducta espontánea

1. Emite algunas conductas espontáneas, pero la mayoría del lenguaje y de habilidades sociales requieren de ayudas.
2. Emite varias conductas espontáneas, pero son principalmente conductas no verbales.
3. Emite espontáneamente (sin ayudas verbales) mandos y tactos, varias veces al día.
4. Emite espontáneamente mandos y tactos, intraverbales, conducta social verbal varias veces al día.
5. Emite conducta espontánea apropiada a través de la mayoría de las áreas de la Evaluación de los hitos del VB-MAPP.

	EVALUACIÓN			
PUNTUACIÓN:	1	2	3	4

15. Habilidades de ocio y de juego: VB-MAPP
Puntuaciones en la evaluación de los hitos de juego independiente.

1. Tiene 3 puntos en el juego independiente en la Evaluación de los hitos.
2. Tiene 5 puntos en el juego independiente en la Evaluación de los hitos.
3. Tiene 8 puntos en el juego independiente en la Evaluación de los hitos.
4. Tiene 11 puntos en el juego independiente en la Evaluación de los hitos.
5. Tiene 14 puntos en el juego independiente en la Evaluación de los hitos.

Califique al niño en una escala de 1 a 5 en cada una de las áreas

EVALUACIÓN			
1	2	3	4

16. Habilidades de autoayuda general

PUNTUACIÓN:

1. No hay habilidades de autoayuda independientes, pero no muestra problemas de conducta cuando los adultos le cuidan o le asean.
2. Necesita ayuda verbal o física para realizar tareas de autoayuda.
3. Requiere sobretodo ayuda verbal, pero hace intentos que se acercan a la tarea de autoayuda de interés.
4. Inicia algunas tareas de autoayuda y normalmente hace intentos que se acercan, pero todavía requiere ayuda verbal.
5. Está motivado, inicia intentos que se acercan a la mayoría de las habilidades y generaliza. Puede necesitar ayuda verbal.

EVALUACIÓN			
1	2	3	4

17. Habilidades para el uso del baño

PUNTUACIÓN:

1. Todavía lleva pañales, pero muestra indicaciones de que puede comenzar el entrenamiento para utilizar el baño (p.ej., periodos largos con el pañal seco, se sienta quieto durante 2 minutos, etc.).
2. El entrenamiento para usar el baño ya ha comenzado, alguna vez orina cuando se sienta en el baño, pero sigue llevando pañal.
3. Se ha entrenado la vejiga, utiliza pañales con elásticos, presenta ocasionalmente algún accidente. Requiere de ayuda para realizar la rutina de ir al baño.
4. Se ha entrenado el control de la vejiga y de los intestinos, pero necesita ayuda para realizar la rutina de uso del baño.
5. Inicia o emite mandos para usar el baño y realiza todos los pasos de la rutina de forma independiente.

EVALUACIÓN			
1	2	3	4

18. Habilidades para comer

PUNTUACIÓN:

1. Muestra algunos intentos de comer independientemente, pero necesita ayuda física para comer. Normalmente, hace un "desastre" cuando come.
2. Come de forma independiente alimentos con las manos, pero requiere que los adultos le preparen la comida, necesita ayuda verbal y que le recojan las sobras.
3. Saca independientemente comida de su recipiente, come con los dedos, pero necesita ayuda verbal para comer.
4. Utiliza una cuchara de forma independiente, come sin ayuda, casi no ensucia, pero necesita ayuda para recoger y limpiar.
5. Toma alimentos de forma autónoma, come, utiliza los utensilios, limpia sin necesidad de ayudas o tan solo con una ayuda verbal.

Nombre	
Fecha de nacimiento	

Edad a evaluar	1		2		3		4	

Clave:	Puntuación	Fecha	Color	Profesional
1ª PRUEBA:				
2ª PRUEBA:				
3ª PRUEBA:				
4ª PRUEBA:				

Mando	Tacto	Oyente	VP-MTS	Juego	Social	Imitación	Ecoicas	Vocal
5-P	5-P	5-P	5-P	5-P	5-P	5-P	5-P	5-P
5-e	5-c	5-e	5-e	5-e	5-c	5-d		
5-d	5-b	5-d	5-d	5-d	5-b	5-c		
5-c	5-a	5-c	5-c	5-c	5-a	5-b		
5-b		5-b	5-b	5-b		5-a		
5-a		5-a	5-a	5-a				
4-P	4-P	4-P	4-P	4-P	4-P	4-P	4-P	4-P
4-e	4-b	4-e	4-b	4-e	4-d	4-d		
4-d	4-a	4-d	4-a	4-d	4-c	4-c		
4-c		4-c		4-c	4-b	4-b		
4-b		4-b		4-b	4-a	4-a		
4-a		4-a		4-a				
3-P	3-P	3-P	3-P	3-P	3-P	3-P	3-P	3-P
3-d	3-b	3-f	3-b	3-e	3-c	3-d		
3-c	3-a	3-e	3-a	3-d	3-b	3-c		
3-b		3-d		3-c	3-a	3-b		
3-a		3-c		3-b		3-a		
		3-b		3-a				
		3-a						
2-P	2-P	2-P	2-P	2-P	2-P	2-P	2-P	2-P
2-e		2-a	2-c	2-e	2-c	2-c		
2-d			2-b	2-d	2-b	2-b		
2-c			2-a	2-c	2-a	2-a		
2-b				2-b				
2-a				2-a				
1-P	1-P	1-P	1-P	1-P	1-P	1-P	1-P	1-P
1-d	1-a	1-a	1-b	1-d	1-c	1-b		
1-c			1-a	1-c	1-b	1-a		
1-b				1-b	1-a			
1-a				1-a				

Nombre	
Fecha de nacimiento	

Edad a evaluar	1		2		3		4	

Clave:	Puntuación	Fecha	Color	Profesional
1ª PRUEBA:				
2ª PRUEBA:				
3ª PRUEBA:				
4ª PRUEBA:				

Mando	Tacto	Oyente	VP-MTS	Juego	Social	Imitación	Ecoicas	LRFFC	Intraverbal	Grupo	Lingüística
10-P	**10-P**	**10-P**	**10-P**	**10-P**	**10-P**	**10-P**	**10-P**	**10-P**	**10-P**	**10-P**	**10-P**
10-f	10-e	10-e	10-e	10-f	10-e	10-e		10-g	10-g	10-g	10-d
10-e	10-d	10-d	10-d	10-e	10-d	10-d		10-f	10-f	10-f	10-c
10-d	10-c	10-c	10-c	10-d	10-c	10-c		10-e	10-e	10-e	10-b
10-c	10-b	10-b	10-b	10-c	10-b	10-b		10-d	10-d	10-d	10-a
10-b	10-a	10-a	10-a	10-b	10-a	10-a		10-c	10-c	10-c	
10-a				10-a				10-b	10-b	10-b	
								10-a	10-a	10-a	
9-P	**9-P**	**9-P**	**9-P**	**9-P**	**9-P**	**9-P**	**9-P**	**9-P**	**9-P**	**9-P**	**9-P**
9-f	9-e	9-d	9-e	9-d	9-d	9-d		9-d	9-b	9-d	9-e
9-e	9-d	9-c	9-d	9-c	9-e	9-c		9-c	9-d	9-c	9-d
9-d	9-c	9-b	9-c	9-b	9-d	9-b		9-b	9-c	9-b	9-c
9-c	9-b	9-a	9-b	9-a	9-c	9-a		9-a	9-d	9-a	9-b
9-b	9-a		9-a		9-b			9-c	9-b		9-a
9-a					9-a			9-b	9-a		
								9-a			
8-P	**8-P**	**8-P**	**8-P**	**8-P**	**8-P**	**8-P**	**8-P**	**8-P**	**8-P**	**8-P**	**8-P**
8-e	8-d	8-d	8-e	8-d	8-d	8-g		8-e	8-d	8-d	8-d
8-d	8-c	8-c	8-d	8-c	8-c	8-f		8-d	8-c	8-c	8-c
8-c	8-b	8-b	8-c	8-b	8-b	8-e		8-c	8-b	8-b	8-b
8-b	8-a	8-a	8-b	8-a	8-a	8-d		8-b	8-a	8-a	8-a
8-b			8-a			8-c		8-a			
8-a						8-b					
						8-a					
7-P	**7-P**	**7-P**	**7-P**	**7-P**	**7-P**	**7-P**	**7-P**	**7-P**	**7-P**	**7-P**	**7-P**
7-g	7-e	7-d	7-f	7-e	7-d	7-g		7-c	7-d	7-e	7-c
7-f	7-d	7-c	7-e	7-d	7-c	7-f		7-b	7-c	7-d	7-b
7-e	7-c	7-b	7-d	7-c	7-b	7-e		7-a	7-b	7-c	7-a
7-d	7-b	7-a	7-c	7-b	7-a	7-d			7-a	7-b	
7-c	7-a		7-b	7-a		7-c				7-a	
7-b			7-a			7-b					
7-a						7-a					
6-P	**6-P**	**6-P**	**6-P**	**6-P**	**6-P**	**6-P**	**6-P**	**6-P**	**6-P**	**6-P**	**6-P**
6-e	6-d	6-f	6-h	6-e	6-e	6-e			6-d	6-d	
6-d	6-c	6-e	6-g	6-d	6-d	6-d			6-c	6-c	
6-c	6-b	6-d	6-f	6-c	6-c	6-c			6-b	6-b	
6-b	6-a	6-c	6-e	6-b	6-b	6-b			6-a	6-a	
6-a		6-b	6-d	6-a	6-a	6-a					
		6-a	6-c								
			6-b								
			6-a								

Nombre	
Fecha de nacimiento	

Edad a evaluar	1		2		3		4	

Clave:	Puntuación	Fecha	Color	Profesional
1ª PRUEBA:				
2ª PRUEBA:				
3ª PRUEBA:				
4ª PRUEBA:				

Mando	Tacto	Oyente	VP-MTS	Juego	Social	Escritura	Lectura	LRFFC	Intraverbal	Grupo	Lingüística	Matemáticas
15-P	**15-P**	**15-P**	**15-P**	**15-P**	**15-P**	**15-P**	**15-P**	**15-P**	**15-P**	**15-P**	**15-P**	**15-P**
15-e	15-g	15-e	15-d	15-e	15-g	15-c	15-f	15-e	15-k	15-h	15-g	15-f
15-d	15-f	15-d	15-c	15-d	15-f	15-b	15-e	15-d	15-j	15-g	15-f	15-e
15-c	15-e	15-c	15-b	15-c	15-e	15-a	15-d	15-c	15-i	15-f	15-e	15-d
15-b	15-d	15-b	15-a	15-b	15-d		15-c	15-b	15-h	15-e	15-d	15-c
15-a	15-c	15-a		15-a	15-c		15-b	15-a	15-g	15-d	15-c	15-b
	15-b				15-b		15-a		15-f	15-c	15-b	15-a
	15-a				15-a				15-e	15-b	15-a	
									15-d	15-a		
									15-c			
									15-b			
									15-a			
14-P	**14-P**	**14-P**	**14-P**	**14-P**	**14-P**	**14-P**	**14-P**	**14-P**	**14-P**	**14-P**	**14-P**	**14-P**
14-d	14-e	14-d	14-d	14-d	14-e	14-d	14-e	14-f	14-k	14-f	14-e	14-e
14-c	14-d	14-c	14-c	14-c	14-d	14-c	14-d	14-e	14-j	14-e	14-d	14-d
14-b	14-c	14-b	14-b	14-b	14-c	14-b	14-c	14-d	14-i	14-d	14-c	14-c
14-a	14-b	14-a	14-a	14-a	14-b	14-a	14-b	14-c	14-h	14-c	14-b	14-b
	14-a				14-a		14-a	14-b	14-g	14-b	14-a	14-a
								14-a	14-f	14-a		
									14-e			
									14-d			
									14-c			
									14-b			
									14-a			
13-P	**13-P**	**13-P**	**13-P**	**13-P**	**13-P**	**13-P**	**13-P**	**13-P**	**13-P**	**13-P**	**13-P**	**13-P**
13-f	13-f	13-e	13-d	13-e	13-e	13-d	13-e	13-h	13-i	13-d	13-e	13-c
13-e	13-e	13-d	13-c	13-d	13-d	13-c	13-d	13-g	13-h	13-c	13-d	13-b
13-d	13-d	13-c	13-b	13-c	13-c	13-b	13-c	13-f	13-g	13-b	13-c	13-b
13-c	13-c	13-b	13-a	13-b	13-b	13-a	13-b	13-e	13-f	13-a	13-b	13-a
13-b	13-b	13-a		13-a	13-a		13-a	13-d	13-e		13-a	
13-a	13-a							13-c	13-d			
								13-b	13-c			
								13-a	13-b			
									13-a			
12-P	**12-P**	**12-P**	**12-P**	**12-P**	**12-P**	**12-P**	**12-P**	**12-P**	**12-P**	**12-P**	**12-P**	**12-P**
12-e	12-g	12-f	12-d	12-d	12-f	12-f	12-e	12-f	12-g	12-d	12-d	12-d
12-d	12-f	12-e	12-c	12-c	12-e	12-e	12-d	12-e	12-f	12-c	12-c	12-c
12-c	12-e	12-d	12-b	12-b	12-d	12-d	12-c	12-d	12-e	12-b	12-b	12-b
12-b	12-d	12-c	12-a	12-a	12-c	12-c	12-b	12-c	12-d	12-a	12-a	12-a
12-a	12-c	12-b			12-b	12-b	12-a	12-b	12-c			
	12-b	12-a			12-a	12-a		12-a	12-b			
	12-a								12-a			
11-P	**11-P**	**11-P**	**11-P**	**11-P**	**11-P**	**11-P**	**11-P**	**11-P**	**11-P**	**11-P**	**11-P**	**11-P**
11-e	11-g	11-f	11-d	11-d	11-e	11-g	11-c	11-f	11-i	11-d	11-d	11-e
11-d	11-f	11-e	11-c	11-c	11-d	11-f	11-b	11-e	11-h	11-c	11-c	11-d
11-c	11-e	11-d	11-b	11-b	11-c	11-e	11-a	11-d	11-g	11-b	11-b	11-c
11-b	11-d	11-c	11-a	11-a	11-b	11-d		11-c	11-f	11-a	11-a	11-b
11-a	11-c	11-b			11-a	11-c		11-b	11-e			11-a
	11-b	11-a				11-b		11-a	11-d			
	11-a					11-a			11-c			
									11-b			
									11-a			

T) = Evaluación directa;   **(O) =** Observación;   **(E) =** Evaluación u observación;   **(TO) =** Observación cronometrada

Habilidad	MANDO - NIVEL I	Logra
1-a	Hace contacto ocular y cambios en la mirada con función de mando para obtener atención u otros reforzadores, en 2 ocasiones **(O)**	
1-b	Se acerca a un objeto reforzante para indicar la presencia de una operación motivadora, en 2 ocasiones **(O)**	
1-c	Tira del adulto para lograr acceder a un objeto reforzante, en 2 ocasiones **(O)**	
1-d	Señala o hace gestos hacia un reforzador para obtenerlo, en 2 ocasiones **(O)**	
1-M	**Emite 2 palabras, realiza signos o utiliza PECS (p.ej., *libro, galleta*), pero puede necesitar ayudas ecoicas, de imitación u otras ayudas, excepto ayudas físicas (E)**	
2-a	Señala 2 reforzadores diferentes con el fin de obtenerlos, en 2 ocasiones **(E)**	
2-b	Mueve la cabeza o dice si o no, cuando se le ofrece un reforzador, en 2 ocasiones (no es un objetivo de edades tempranas) **(E)**	
2-c	Emite 2 mandos diferentes, sin ayuda ecoica, puede ser con ayuda verbal o de objeto **(E)**	
2-d	Emite espontáneamente 1 mando sin ecoica o ayuda imitativa, puede ser con ayuda de objeto **(O)**	
2-e	Generaliza 2 mandos conocidos con 2 personas y 2 lugares diferentes **(E)**	
2-M	**Emite 4 mandos diferentes sin ayudas (a excepción de *"¿qué quieres?"*). El estímulo deseado puede estar presente (p.ej., música, pelota, juguete de muelles tipo *slinky*) (T)**	
3-a	Emite 2 mandos espontáneos (sin ayuda verbal), el objeto puede estar presente **(O)**	
3-b	Emite 5 mandos sin ayuda ecoica o imitativa, puede ser con ayuda verbal o de objeto **(O)**	
3-c	Generaliza 3 mandos a través de 2 ejemplos de un objeto deseado (p.ej., emite el mando tobogán con 2 toboganes diferentes) **(E)**	
3-d	Emite 6 mandos diferentes, sin ayuda ecoica o imitativa, puede ser con ayuda verbal o de objeto **(E)**	
3-M	**Generaliza 6 mandos con 2 personas, 2 contextos y 2 ejemplares diferentes de reforzador (p.ej., emite el mando de "pompas" a la mamá, al papá, dentro y fuera de casa y las pompas del recipiente rojo y del recipiente azul) (E)**	
4-a	Emite mandos por atención en 2 ocasiones con algún tipo de respuesta identificable (p.ej., un golpecito en el brazo) **(O)**	
4-b	Emite 2 mandos sin un objeto presente, puede ser cuando se le pregunta *¿qué quieres?* **(O)**	
4-c	Emite 2 mandos sin ayuda verbal, puede ser con ayuda de objeto **(O)**	
4-d	Dirige mandos a otros para que presten atención al mismo estímulo al que él está atendiendo, lo realiza 5 veces a día **(O)**	
4-e	Emite 1 mando para eliminar un objeto o una actividad no deseada (p.ej., *no*) **(E)**	
4-M	**Emite espontáneamente 5 mandos (sin ayudas verbales), el objeto deseado puede estar presente (TO: 60 min.)**	
5-a	Emite 3 mandos **diferentes** sin un objeto presente, puede ser con ayuda verbal (p.ej., *mami*) **(E)**	
5-b	Emite 3 mandos **diferentes** sin ayuda verbal, puede ser con ayuda de objeto **(E)**	
5-c	Los mandos contienen entonaciones que varían y son adecuadas a la OM actual, lo realiza en 2 ocasiones **(O)**	
5-d	Adquiere un mando nuevo en menos de 20 ensayos de entrenamiento **(T)**	
5-e	Si el reforzador no se le entrega, persiste y continúa emitiendo el mando 2 veces más (persistencia) **(E)**	
5-M	**Emite 10 mandos diferentes sin ayudas (a excepción de *"¿qué quieres?"*), el objeto deseado puede estar presente (p.ej., manzana, coche, jugo, columpio) (E)**	
6-a	Espontáneamente, emite 5 mandos, sin un objeto presente y sin ayuda verbal **(O)**	
6-b	Emite 10 mandos diferentes, sin ayuda ecoica o imitativa, el objeto puede estar presente **(E)**	
6-c	Emite mandos de 5 objetos ausentes diferentes, sin ayuda (excepto una ayuda verbal) **(E)**	
6-d	Generaliza 4 mandos a 4 personas diferentes **(E)**	
6-e	Persiste en mandos por objetos ausentes adquiridos recientemente, después de no tener contacto con el objeto durante 24 horas **(E)**	

(T) = Evaluación directa; **(O)** = Observación; **(E)** = Evaluación u observación; **(TO)** = Observación cronometrada

Habilidad	TACTO - NIVEL I	Logra
I-a	Tacta una persona familiar, mascota, u objeto, con ayuda verbal y motivación presente (p.ej., *mamá*) **(E)**	
I-M	**Tacta 2 objetos con ayudas ecoicas o imitativas (p.ej., personas, animales, personajes u otros objetos) (T)**	
2-M	**Tacta 4 objetos cualesquiera sin ayudas ecoicas o imitativas (p.ej., personas, animales, personajes u otros objetos) (T)**	
3-a	Generaliza respuestas ya adquiridas con 2 personas o 2 lugares diferentes (p.ej., tacta *gato* tanto en compañía de la mamá como del papá; tacta *papi* tanto en la cama como en la cocina) **(E)**	
3-b	Generaliza tactos de 2 ejemplares de un objeto para 2 objetos diferentes (p.ej., tacta 2 teléfonos diferentes) **(T)**	
3-M	**Tacta 6 objetos no reforzantes (p.ej., zapato, sombrero, cuchara, coche, taza y cama) (T)**	
4-a	Mira imágenes de la familia y, con ayuda verbal, tacta a 2 miembros de la familia **(T)**	
4-b	Tacta 2 imágenes de un libro o una tarjeta (2D) (p.ej., *pato, pelota*) **(T)**	
4-M	**Tacta espontáneamente 2 objetos diferentes (sin ayudas verbales) (TO: 60 min.)**	
5-a	Tacta 5 imágenes (2D) **(T)**	
5-b	Mantiene un tacto recién adquirido después de 24 horas sin entrenamiento **(T)**	
5-c	Generaliza tactos a 3 ejemplares de un mismo objeto, con 5 objetos diferentes (p.ej., tacta 3 cucharas diferentes) **(T)**	
5-M	**Tacta 10 objetos (p.ej., objetos comunes, personas, partes del cuerpo o imágenes) (T)**	

Habilidad	RESPUESTA DE OYENTE - NIVEL I	Logra
I-a	Gira la cabeza para localizar la fuente de un sonido (p.ej., campana, juguete que hace ruido, el timbre del teléfono móvil) **(O)**	
I-M	**Atiende a la voz del hablante haciendo contacto ocular en 5 ocasiones (TO: 30min.)**	
2-a	Sonríe cuando escucha la voz de las personas que lo cuidan, en 2 ocasiones **(O)**	
2-M	**Responde al escuchar su propio nombre en 5 ocasiones (p.ej., mira al hablante) (T)**	
3-a	Interrumpe una actividad de juego cuando escucha que alguien le llama por su nombre **(E)**	
3-b	Responde a *no, caliente, para* u otra instrucción, en el contexto apropiado **(O)**	
3-c	Atiende a un objeto o foto cuando se le nombra (sin discriminación), en 5 ocasiones **(O)**	
3-d	Responde a 2 instrucciones verbales simples (1 parte), en contexto (p.ej., *siéntate*, cuando al lado hay una silla) **(E)**	
3-e	Discrimina entre 2 miembros de la familia y/o mascotas cuando se les nombra (p.ej., *¿dónde está papá?*) **(E)**	
3-f	Discrimina entre 2 objetos cuando se le muestran a la altura de los ojos (p.ej., *¡mira!*, Toca o señala una pelota cuando se le pide y ha de escoger entre una pelota y un zapato) **(T)**	
3-M	**Mira, toca o señala a un miembro de la familia, animal u otro reforzador cuando se le presenta como parte de un conjunto de dos estímulos. Lo repite para 5 reforzadores diferentes (p.ej., ¿Dónde está Spiderman?, ¿dónde está mamá?) (E)**	
4-a	Selecciona el objeto correcto de entre un grupo de 2, para 10 objetos o imágenes diferentes **(T)**	
4-b	Mantiene contacto ocular con un hablante, durante 2 segundos **(O)**	
4-c	Toca 2 partes del cuerpo (p.ej., *Tócate la nariz, ¿Dónde están tus orejas?*, etc.) **(T)**	
4-d	Emite 2 acciones motoras (p.ej., *Aplaude, ¿Puedes dar vueltas?*, etc.) **(T)**	
4-e	Selecciona el objeto correcto de entre un conjunto de 3 cuando se le nombra los objetos. Realiza la acción con 10 objetos diferentes (p.ej., perro, sombrero, libro, etc.) **(T)**	

(T) = Evaluación directa;   **(O)** = Observación;   **(E)** = Evaluación u observación;   **(TO)** = Observación cronometrada

Habilidad	RESPUESTA DE OYENTE - NIVEL I (Continuación)	Logra
4-f	En una tarea de discriminación de oyente generaliza entre 2 ejemplos de un mismo objeto, para 5 clases de objetos diferentes (p.ej., puede identificar 2 perros diferentes, 2 vasos diferentes, 2 pelotas diferentes, etc.) **(T)**	
4-M	**Emite 4 acciones motoras diferentes bajo instrucción sin ayudas visuales (p.ej., ¿Puedes saltar?, ¿Cómo aplaudes?)**	
5-a	Discrimina como oyente 5 objetos en un periodo de 10 segundos (evaluación de fluidez) **(T)**	
5-b	Muestra 6 acciones motoras diferentes bajo instrucción sin ayuda visual **(T)**	
5-c	Mantiene la habilidad de oyente recién adquirida durante 24 horas sin entrenamiento **(T)**	
5-d	Emite espontáneamente respuestas de oyente y de discriminación como oyente (sin ayudas directas) en 2 ocasiones **(O)**	
5-e	Generaliza tareas de oyentes conocidas con 3 personas, 3 lugares diferentes y 3 veces al día **(T)**	
5-M	**Selecciona el objeto correcto de un conjunto de 4; lo hace con 20 objetos o imágenes diferentes (p.ej., Enséñame el gato, Señala el zapato) (T)**	

Habilidad	PERCEPCIÓN VISUAL E IGUALACIÓN A LA MUESTRA – NIVEL I	Logra
1-a	Atiende visualmente a rostros y personas, en 5 ocasiones **(O)**	
1-b	Atiende visualmente a reforzadores, en 5 ocasiones **(O)**	
1-M	**Hace un seguimiento visual de un estímulo en movimiento durante 2 segundos, en 5 ocasiones (TO: 30 min)**	
2-a	Alcanza y agarra objetos con éxito, en 5 ocasiones **(E)**	
2-b	Utiliza el dedo índice para tocar cosas o para otros usos, en 5 ocasiones **(O)**	
2-c	Manipula juguetes y objetos de diversas maneras durante 10 segundos, en 5 ocasiones **(O)**	
2-M	**Agarra objetos pequeños con el pulgar y el dedo índice (agarre de pinza), en 5 ocasiones (O)**	
3-a	Transfiere objetos de una mano a la otra, en 5 ocasiones **(O)**	
3-b	Busca un objeto que está fuera de su campo visual, en 5 ocasiones **(O)**	
3-M	**Atiende visualmente a un juguete o libro durante 30 segundos (el objeto no causa autoestimulación) (O)**	
4-a	Extrae objetos de un contenedor (p.ej., vuelca una caja de lápices, saca juguetes de un armario), lo hace en 5 ocasiones **(O)**	
4-b	Es capaz de empujar o tirar de objetos, en 5 ocasiones **(O)**	
4-M	**Coloca 3 objetos en su recipiente o soporte (p.ej., apila 3 bloques, coloca 3 anillas dentro de una varilla). Realiza 2 de estas actividades (E)**	
5-a	Presta atención visualmente a juguetes o libros durante 1 minuto, en 2 ocasiones **(O)**	
5-b	Utiliza la cuchara con éxito en 5 ocasiones durante una comida **(O)**	
5-c	Completa un rompecabezas de 3 piezas, sin ayuda física **(E)**	
5-d	Intenta hacer garabatos con cualquier tipo de instrumento para escribir **(O)**	
5-e	Coloca dos objetos visualmente parecidos en 2 ocasiones (p.ej., recoge un juguete que corresponde con el otro) **(O)**	
5-M	**Iguala al menos 10 objetos idénticos de cualquier tipo (p.ej., rompecabezas encajables, juguetes, objetos o fotos) (T)**	

Habilidad	JUEGO INDEPENDIENTE - NIVEL I	Logra
1-a	Tiene un objeto favorito con el cual puede dormir o llevar consigo (p.ej., mantita, peluche, etc.) **(O)**	
1-b	Es capaz de tomar los objetos que le interesan (p.ej., llaves, pelota, vaso, etc.) **(O)**	
1-c	Se pasa los objetos de una mano a la otra **(O)**	
1-d	Mira un juguete cuando lo tiene entre las manos el adulto **(O)**	

(T) = Evaluación directa; **(O)** = Observación; **(E)** = Evaluación u observación; **(TO)** = Observación cronometrada

Habilidades	JUEGO INDEPENDIENTE - NIVEL I (Continuación)	Logra
1-M	**Manipula y explora los objetos durante 1 minuto (p.ej., mira, toca, gira, presiona los botones del jueguete, etc.) (TO: 30min.)**	
2-a	Señala un juguete u objeto de interés **(O)**	
2-b	Suelta los juguetes para ver cómo caen o muestra otro tipo de interés en actividades tipo causa-efecto **(O)**	
2-c	Abre las puertas de armarios, cajas de juguetes o toma los juguetes de dentro de un recipiente **(O)**	
2-d	Repite una conducta de juego que produce un sonido (p.ej., aprieta un juguete para que suene, golpea objetos, etc.) **(O)**	
2-e	Hace contacto ocular con los demás mientras juega, en 3 ocasiones **(TO: 30min.)**	
2-M	**Muestra variedad en su conducta de juego al interactuar de forma independiente con 5 objetos (p.ej., juega con anillas, luego con la pelota y luego hace una torre) (TO: 30min.)**	
3-a	Le lleva un juguete u objeto de interés a un adulto **(O)**	
3-b	Vuelca una caja o recipiente con juguetes, dejándolos caer al suelo **(O)**	
3-c	Introduce y extrae juguetes de un recipiente **(O)**	
3-d	Generaliza a contextos nuevos conductas de juego ya adquiridas **(O)**	
3-e	Lleva juguetes u objetos de un lugar a otro **(O)**	
3-M	**Muestra generalización realizando conductas exploratorias y jugando con juguetes en un contexto nuevo durante 2 minutos (p.ej., juega en una sala de juegos en la que nunca ha estado antes) (TO: 30min.)**	
4-a	Entra en una casita de juegos o una estructura similar, sin ayuda verbal de adultos **(O)**	
4-b	Aprende a hacer funcionar un juguete después de que un adulto se lo enseñe (p.ej., apretar botones) **(O)**	
4-c	Dirige mandos a un adulto para que le ayude con un juguete (p.ej., un juguete que no puede abrir) **(O)**	
4-d	Baila espontáneamente cuando hay música **(O)**	
4-e	Le gusta que le empujen o le tiren cuando está montado en un vehículo de juguete **(O)**	
4-M	**Participa de forma independiente en juegos que implican movimiento (p.ej., balancearse, bailar, saltar, subir) (TO: 30min.)**	
5-a	Deshace construcciones de piezas (p.ej., Duplos, juego de bloques, Legos) **(O)**	
5-b	Estira y empuja espontáneamente objetos que hay alrededor suyo **(O)**	
5-c	Lleva un objeto grande a un lugar diferente (p.ej., un garaje de juguete) **(O)**	
5-d	Emite sonidos o palabras asociadas con los juguetes (p.ej., dice "pi… pi" cuando juega con un coche) **(O)**	
5-e	Conecta o junta objetos (p.ej., un coche en una carretera, etc.) **(O)**	
5-M	**Participa de forma independiente en juegos de causa y efecto durante 2 minutos (p.ej., usa juguetes de botones que producen luces y sonidos, vuelca una caja de juguetes, empuja juguetes, etc.) (TO: 30min.)**	

Habilidad	CONDUCTA SOCIAL Y JUEGO SOCIAL - NIVEL I	Logra
1-a	Sonríe cuando escucha voces familiares, en 3 ocasiones (p.ej., la voz de su mamá o de su papá) **(TO: 60 min.)**	
1-b	Mira a los rostros de personas familiares, al menos en 3 ocasiones **(TO: 60 min.)**	
1-c	Se orienta hacia, o hace contacto ocular, con personas familiares, en 5 ocasiones **(TO: 30 min.)**	
1-M	**Utiliza el contacto ocular con forma de mando en 5 ocasiones (TO: 30min.)**	
2-a	Se ríe, o sonríe, cuando participa en juegos físicos, en 5 ocasiones **(E)**	
2-b	Participa y sonríe en juego social recíproco, en 2 ocasiones (p.ej., juega a las palmas, juega a cucú-tras, etc.) **(T)**	
2-c	Busca atención de adultos con la mirada, con sonidos, o gestos, en 3 ocasiones (p.ej., señalando) **(TO: 60 min.)**	
2-M	**Indica que quiere que le tomen en brazos o participar en juegos físicos; lo hace en 2 ocasiones (p.ej., subir al regazo de la madre) (TO: 60min.)**	

(T) = Evaluación directa;   **(O)** = Observación;   **(E)** = Evaluación u observación;   **(TO)** = Observación cronometrada

Habilidad	CONDUCTA SOCIAL Y JUEGO SOCIAL - NIVEL I *(Continuación)*	Logra
3-a	Recibe un objeto deseado de un adulto, en 3 ocasiones (p.ej., recibe un juguete cuando se le ofrece) **(T)**	
3-b	Reacciona de una manera positiva cuando otros niños se le acercan, en 2 ocasiones (pueden ser hermanos) **(O)**	
3-c	Responde a saludos de otras personas manteniendo contacto ocular durante 2 segundos, en 2 ocasiones **(E)**	
3-M	**Realiza contacto ocular espontáneo con otros niños; lo hace en 5 ocasiones (TO: 30 min.).**	
4-a	Se acerca a otros niños, en 2 ocasiones, con ayuda de los adultos **(TO: 30 min.)**	
4-b	Permanece cerca de otros niños en actividades grupales, de forma adecuada, en 2 ocasiones **(TO: 30 min.)**	
4-c	Imita el movimiento de la mano de despedida "adiós" requiriendo dos ayudas **(E)**	
4-d	Se sienta cerca de otros niños en actividades de grupo después de que un adulto le ayude. Lo realiza en 2 ocasiones **(O)**	
4-M	**Tolera espontáneamente el juego paralelo con otros niños durante 2 minutos (p.ej., permanece en el parque de arena cerca de otros niños) (TO: 30 min)**	
5-a	Sigue espontáneamente a otro niño en 2 ocasiones **(O)**	
5-b	Imita espontáneamente la conducta de otro niño, en 2 ocasiones **(O)**	
5-c	Se ríe o sonríe, cuando otras personas Muestran acciones chistosas, o entretenidas, en 2 ocasiones **(O)**	
5-M	**Sigue espontáneamente a sus iguales o imita sus conductas motoras; en 2 ocasiones (p.ej., sigue a un compañero a la casita del parque) (TO: 30 min.)**	

Habilidad	IMITACIÓN MOTORA – NIVEL I	Logra
I-a	Imita movimientos orofaciales en 3 ocasiones (p.ej., apretar los labios, abrir la boca, etc.) **(O)**	
I-b	Imita I respuesta motora de otra persona, cuando se le instruye, es decir, imita cuando se le pide **(T)**	
I-M	**Imita dos respuestas motoras gruesas, después de decirle: "*Haz esto*" (p.ej., aplaudir, levantar los brazos)**	
2-a	Imita 2 acciones con un objeto (p.ej., golpear con martillo de juguete, hacer rodar una pelota, etc.) **(T)**	
2-b	Imita espontáneamente 2 actividades divertidas diferentes (p.ej., cucú-tras, jugar a las palmas, etc.) **(O)**	
2-c	Hace contacto ocular mientras imita, en 3 ocasiones **(TO: 30 min.)**	
2-M	**Imita 4 respuestas motoras gruesas, después de decirle: "*Haz esto*"**	
3-a	Imita 2 respuestas motoras finas (p.ej., mover los dedos, abrir y cerrar la mano, etc.) **(T)**	
3-b	Imita dos respuestas motoras gruesas de forma espontánea de otra persona (p.ej., manos arriba) **(O)**	
3-c	Imita el balancearse de lado a lado **(T)**	
3-d	Generaliza respuestas de imitación ya adquiridas con 2 personas nuevas (p.ej., aplaude para 2 adultos nuevos) **(T)**	
3-M	**Imita 8 respuestas motoras, 2 de ellas requieren usar objetos (p.ej., agitar una maraca, chocar baquetas de batería) (T)**	
4-a	Imita el señalar a otras personas u objetos **(T)**	
4-b	Imita transferir un objeto de una mano a la otra **(T)**	
4-c	Imita 5 acciones que producen un resultado (p.ej., pulsar botones de juguetes que hacen ruido) **(T)**	
4-d	Imita 2 movimientos con la cabeza (p.ej., asentir y negar con la cabeza) **(T)**	
4-M	**Imita respuestas motoras espontáneas de otras personas, en 5 ocasiones (O)**	
5-a	Imita 5 respuestas motoras finas (p.ej., manipular plastilina, hacer la pinza con la mano, etc.) **(T)**	
5-b	Imita respuestas motoras gruesas de otros niños después de ofrecer ayuda, en 2 ocasiones **(T)**	
5-c	Imita espontáneamente la conducta de otros, en 2 ocasiones (p.ej., introducir juguetes en cajas) **(T)**	
5-d	Muestra generalización de 10 respuestas imitativas con 3 personas nuevas **(T)**	
5-M	**Imita 20 respuestas motoras de cualquier tipo (p.ej., respuestas motoras finas, gruesas, con objetos) (T)**	

(T) = Evaluación directa; **(O)** = Observación; **(E)** = Evaluación u observación; **(TO)** = Observación cronometrada

Habilidad	MANDOS – NIVEL 2	Logra
6-a	Emite espontáneamente 5 mandos sin estar el objeto presente y sin ayudas verbales (O)	
6-b	Emite 10 mandos diferentes sin ayudas ecoicas ni imitativas, el objeto puede estar presente (E)	
6-c	Emite mandos para obtener objetos que no están presentes; sin ayudas, exceptuando la ayuda verbal (E)	
6-d	Generaliza 4 mandos con 4 personas diferentes (E)	
6-e	Mantiene un mando recién adquirido con la función de solicitar un objeto que no está presente y no ha tenido acceso a este durante 24 horas (E)	
6-M	**Emite 20 mandos de diferentes objetos sin ayudas (excepto p.ej., ¿Qué necesitas?) (p.ej., Emitir el mando *papel* cuando se le ofrece un color) (E)**	
7-a	Emite mandos de dos palabras formando una frase u oración, en 2 ocasiones (p.ej., beber jugo) **(TO: 60 min.)**	
7-b	Dirige mandos a otras personas para que realicen dos acciones con ayuda verbal (p.ej., *Anda, Da la vuelta*, etc.) **(E)**	
7-c	Emite 2 mandos para eliminar objetos o actividades no deseadas **(O)**	
7-d	Muestra generalización de respuesta en 2 mandos diferentes (p.ej., denomina un vaso, tanto como *vaso* como *bebida*; llama a un perro *perro* o *Coco*) **(O)**	
7-e	Emite mandos con entonación variada, según como sean las operaciones motivadoras, tanto positivas como negativas, en 5 ocasiones **(O)**	
7-f	Emite mandos de ayuda en 2 ocasiones **(O)**	
7-g	Muestra una tasa alta de mandos (15 en un periodo de 5 minutos) **(O)**	
7-M	**Emite mandos con la finalidad de que otras personas realicen 5 acciones diferentes o para que realicen acciones faltantes necesarias para disfrutar de una actividad deseada (p.ej., "Abre" para salir, "Empuja" en un columpio) (E)**	
8-a	Emite mandos de dos palabras formando una frase u oración, en 5 ocasiones **(TO: 120 min.)**	
8-b	Emite mandos para obtener información utilizando preguntas con *qué*, en 2 ocasiones (p.ej., ¿Qué es eso?) **(E)**	
8-c	Emite mandos con pronombres, en 2 ocasiones (p.ej., *Mi tren, Eso es tuyo*) **(O)**	
8-d	Emite mandos con 3 frases tipo (p.ej., *Yo quiero…, Es mi…, Puedo…, Eso es mi…*, etc.) **(O)**	
8-e	Emite mandos con *sí* o *no*, en 4 ocasiones (p.ej., ¿Quieres dar un paseo?... *Sí*) **(E)**	
8-f	Emite mandos de información utilizando preguntas con *dónde* (p.ej., ¿Dónde esta Elmo?) **(E)**	
8-M	**Emite 5 mandos diferentes que contienen 2 o más palabras (sin incluir "yo quiero") (p.ej., Ve más rápido, Mi turno, Dame agua) (TO: 60min.)**	
9-a	Emite espontáneamente 50 mandos al día (pueden ser con objetos presentes, pero sin ayuda verbal) **(O)**	
9-b	Adquiere 2 mandos entrenando solo ecoicas y tactos (p.ej., ve y tacta una jirafa, y luego emite el mando para volver a ver la jirafa) **(O)**	
9-c	Emite mandos para obtener información utilizando cualquier tipo de pregunta **(O)**	
9-d	Emite mandos que contienen adjetivos, en 5 ocasiones (p.ej., *patata grande, coche rojo*, etc.) **(O)**	
9-e	Emite 5 mandos en 30 segundos (p.ej., durante un juego o una actividad entretenida, como jugar con agua) **(TO: 30 seg.)**	
9-f	Emite mandos que contienen 3 palabras, en 10 ocasiones (p.ej., *Es mi caballo*) **(O)**	
9-M	**Emite espontáneamente 15 mandos diferentes (p.ej., Vamos a jugar, Quiero un libro) (TO: 30 min.)**	
10-a	Emite 2 mandos nuevos, sin entrenamiento (p.ej., dice, sin haber sido entrenado, *Yo quiero chocolate caliente*) **(O)**	
10-b	Muestra generalización de respuesta en 2 mandos diferentes (p.ej., *Alcánzame, Persígueme, Corre*) **(O)**	
10-c	Emite mandos incluyendo adjetivos, en 5 ocasiones; puede usar ayuda verbal y no verbal **(O)**	
10-d	Emite mandos paras solicitar información utilizando cómo preguntas *quién*, en 3 ocasiones **(O)**	
10-e	Emite mandos espontáneamente para que otros realicen 20 acciones diferentes (p.ej., *Corre, Ve, Empújame*) **(O)**	
10-f	Emite mandos espontáneamente a personas nuevas o desconocidas, en 2 ocasiones **(O)**	
10-M	**Emite 10 mandos nuevos sin entrenamiento específico (p.ej., dice espontáneamente, ¿Dónde se ha ido el gato? Sin haber tenido un entrenamiento de mandos formal) (O)**	

T) = Evaluación directa;   (O) = Observación;   (E) = Evaluación u observación;   (TO) = Observación cronometrada

Habilidad	TACTOS – NIVEL 2	Logra
6-b	Tacta 2 acciones cuando se le pregunta, por ejemplo, ¿Qué estoy haciendo? (p.ej., *saltando, aplaudiendo*, etc.) **(T)**	
6-c	Adquiere un tacto nuevo en menos de 20 ensayos de entrenamiento **(T)**	
6-d	Tacta 5 objetos en un periodo de 15 segundos (fluidez) **(T)**	
6-M	**Tacta 25 objetos cuando se le pregunta ¿Qué es? (p.ej., *libro, zapato, coche, perro, sombrero*) (T)**	
7-a	Tacta 3 partes del cuerpo (p.ej., *nariz, ojos, boca*, etc.) **(T)**	
7-b	Tacta 2 estímulos auditivos (p.ej., *teléfono sonando, sirena, perro ladrando*, etc.) **(T)**	
7-c	Emite espontáneamente tactos que contienen dos palabras. Realiza la acción con 5 tactos diferentes (p.ej., *bebé llorando*) **(E)**	
7-d	Tacta 2 acciones diferentes, cuando se le pregunta ¿Qué está haciendo? (p.ej., *bebiendo, nadando*, etc.) **(T)**	
7-e	Tacta 40 objetos cuando se le pregunta ¿Qué es eso? (p.ej., *árbol, plato, calcetín, colores, manzana*, etc.) **(T)**	
7-M	**Generaliza tactos a través de 3 ejemplares de 50 objetos (p.ej., tacta 3 coches diferentes) (T)**	
8-a	Tacta 2 estímulos táctiles (p.ej., dice *pelota*, cuando toca una pelota en una bolsa) **(T)**	
8-b	Tacta utilizando 5 combinaciones de sustantivo-verbo o verbo-sustantivo (p.ej., *perro come, coche corre*, etc.) **(T)**	
8-c	Cuando se le pregunta ¿Qué ves?, tacta 2 o más objetos en 10 páginas diferentes de un libro **(T)**	
8-d	Mira a un oyente mientras tacta, en 5 ocasiones **(O)**	
8-M	**Tacta 10 acciones cuando se le pregunta, por ejemplo, "¿qué está haciendo...?" (p.ej., saltando, durmiendo, comiendo) (T)**	
9-a	Tacta 25 relaciones de dos componentes del tipo sustantivo-sustantivo (p.ej., *papel y lápiz; coche y camión*, etc.) **(T)**	
9-b	Adquiere un tacto nuevo en menos de 15 ensayos de entrenamiento **(T)**	
9-c	Tacta espontáneamente objetos en un libro, en la televisión o en un vídeo, en 5 ocasiones (p.ej., *Cenicienta*) **(O)**	
9-d	Aprende 2 tactos nuevos, sin entrenamiento directo (p.ej., transferencia de ecoica a tacto sin entrenamiento) **(T)**	
9-e	Muestra generalización de respuesta con 5 objetos, es decir, tacta el mismo estímulo con dos palabras diferentes (p.ej., *profesora* y *Catalina*; *gato* y *Garfield*; *perro* y *Coco*, etc.) **(E)**	
9-M	**Tacta 50 combinaciones compuestas por verbo-sustantivo o sustantivo-verbo que ya han sido adquiridas previamente (p.ej., *Lavar la cara, José nada, Bebé durmiendo*) (T)**	
10-a	Tacta 10 acciones (p.ej., *escalando, jugando, coloreando, nadando, lavando*, etc.) **(E)**	
10-b	Tacta 2 estímulos utilizando el sentido del gusto (p.ej., tacta *naranja* al probarla) **(E)**	
10-c	Tacta 20 objetos en una prueba de fluidez de 1 minuto **(E)**	
10-d	Tacta 2 colores diferentes (p.ej., *rojo, azul*, etc.) **(E)**	
10-e	Tacta 2 formas diferentes (p.ej., *círculo, estrella*, etc.) **(E)**	
10-M	**Tacta 200 sustantivos y/o verbos u otros elementos del habla (T)**	

Habilidad	RESPUESTA DE OYENTE – NIVEL 2	Logra
6-a	Selecciona el objeto correcto de entre un conjunto desordenado de 5, para 25 objetos diferentes (p.ej., *libro, coche, perro, zapato*, etc.) **(T)**	
6-b	Adquiere una habilidad nueva de oyente necesitando menos de 25 ensayos de entrenamiento **(T)**	
6-c	Discrimina 6 personas, mascotas, o personajes por sus nombres (p.ej., *encuentra a Óscar*) **(E)**	
6-d	En una tarea de oyente generaliza entre 3 ejemplares o ejemplos de 25 objetos diferentes **(T)**	
6-M	**Selecciona el objeto correcto de entre un conjunto desordenado de 6, para 40 objetos o imágenes diferentes (p.ej., *Encuentra un gato, Toca la pelota*) (T)**	
7-a	Se acerca a 3 personas determinadas cuando se le pide (p.ej., *Ve con Daniela*) **(T)**	

(T) = Evaluación directa; **(O)** = Observación; **(E)** = Evaluación u observación; **(TO)** = Observación cronometrada

Habilidad	RESPÚESTA DE OYENTE – NIVEL 2 (*Continuación*)	Logra
7-b	Señala 5 objetos que aparecen en un libro cuando se nombran (p.ej., *¿Dónde está el camión de bomberos?*) **(T)**	
7-c	Selecciona 5 objetos en el contexto natural cuando se le pide (p.ej., *agarra la cuchara*, mientras está en la mesa) **(E)**	
7-d	Muestra espontáneamente 5 habilidades de oyente en el contexto natural, sin utilizar ayudas (p.ej., cuando alguien en la habitación menciona un caballito, el niño se dirige espontáneamente a un caballito de juguete) **(O)**	
7-M	**Generaliza habilidades de discriminación como oyente seleccionando 3 ejemplares diferentes de un mismo objeto en un conjunto desordenado de 8 objetos; lo hace para 50 objetos diferentes (p.ej., puede encontrar 3 ejemplares de trenes diferentes) (T)**	
8-a	Se dirige a 3 lugares específicos cuando se le dice (p.ej., *Ve a la cocina. Muéstrame tu cuarto*) **(E)**	
8-b	Selecciona el objeto correcto de entre un conjunto de 8, conteniendo 2 estímulos similares (p.ej., objetos del mismo color), realizando la actividad con 20 objetos **(T)**	
8-c	Selecciona un objeto cuando se le da el sonido que hace. Lo realiza con 5 objetos (p.ej., ladrido-perro; sirena-camión de bomberos, etc.) **(T)**	
8-d	Selecciona 2 objetos de entre un conjunto de 8. Realiza la acción con 5 objetos (sustantivo-sustantivo) (p.ej., *¿Dónde está el bebé y el biberón?*) **(T)**	
8-M	**Realiza 10 respuestas motoras específicas bajo instrucción (p.ej., *Muéstrame cómo aplaudes, ¿Puedes saltar?*) (T)**	
9-a	Adquiere 2 respuestas de oyente, sin entrenamiento formal (p.ej., alguien le pide a otra persona que encienda la luz, y el estudiante se acerca al interruptor y la enciende. El resto de personas desconocían que conocía la palabra luz) **(O)**	
9-b	Responde correctamente a 5 gestos diferentes (p.ej., dedo índice en los labios para guardar silencio, la palma de la mano extendida para que se detenga, etc.) **(E)**	
9-c	Muestra 3 acciones especificas con 3 personas diferentes (p.ej., *Dale un abrazo a la abuela, Choca los cinco a Laura*) **(T)**	
9-d	Selecciona 2 objetos que se encuentran en una escena en un libro o en el contexto natural (sustantivo-sustantivo). Realiza esta acción con 20 objetos diferentes (p.ej., *¿Dónde está el elefante y la jirafa?*) **(T)**	
9-M	**Sigue 25 instrucciones formadas por dos componentes del tipo sustantivo-verbo y/o verbo-sustantivo (p.ej., *Muéstrame el bebé que duerme, Empuja el columpio*) (T)**	
10-a	Muestra 2 acciones consecutivas con 10 grupos de acciones diferentes (verbo-verbo) (p.ej., *aplaude y salta*) **(T)**	
10-b	Discrimina entre 2 colores de entre un grupo de 4 objetos con colores diferentes **(T)**	
10-c	Discrimina entre 2 formas de entre un grupo de 4 formas diferentes **(T)**	
10-d	Generaliza una tarea de oyente que combina sustantivo y verbo con un objeto nuevo. Esto lo realiza con 5 acciones diferentes (p.ej., se le enseña a hacer girar y rodar un lápiz; más tarde, de forma espontánea, hace girar y rodar una cañita o paja para beber) **(T)**	
10-e	Generaliza una tarea de oyente que combina sustantivo y verbo, con una acción nueva. Lo realiza con 5 objetos diferentes (p.ej., puede hacer girar cualquier objeto) **(T)**	
10-M	**Selecciona el objetivo correcto de un libro, de una escena o del contexto natural cuando se nombran 250 objetos que ya tiene adquiridos previamente (T)**	

Habilidad	HABILIDADES DE PERCEPCIÓN VISUAL E IGUALACIÓN A LA MUESTRA – NIVEL 2	Logra
6-a	Conecta 2 objetos o juguetes (p.ej., Legos) **(O)**	
6-b	Encaja objetos idénticos en una torre de 2 objetos (p.ej., platos, copas, vasos) **(O)**	
6-c	Pasa 2 paginas de un libro **(E)**	
6-d	Realiza 3 puzles encajables de 3 o 4 piezas, sin ayuda **(E)**	
6-e	Hace una torre de 4 bloques sin ayuda **(O)**	

T) = Evaluación directa;   **(O)** = Observación;   **(E)** = Evaluación u observación;   **(TO)** = Observación cronometrada

HABILIDADES DE PERCEPCIÓN VISUAL E IGUALACIÓN A LA MUESTRA – NIVEL 2

Habilidad		Logro
6-f	Iguala objetos idénticos, o imágenes de entre un conjunto organizado de 3, con 10 objetos (p.ej., iguala un sombrero con otro sombrero) **(T)**	
6-g	Iguala objetos idénticos o imágenes con diferentes tamaños, entre un conjunto desordenado de 6. Realiza la acción con 10 objetos (p.ej., *Iguala una pelota roja grande con una pelota roja pequeña*) **(T)**	
6-h	Coloca 5 objetos en el lugar al que pertenecen o en un contexto apropiado (p.ej., coloca un vaso en el fregadero) **(E)**	
6-M	**Empareja objetos o imágenes idénticas en un conjunto desordenado de 6. Esto lo realiza con 25 objetos (T)**	
7-a	Completa 5 rompecabezas diferentes que tienen 6 o más piezas diferentes, sin ayuda **(E)**	
7-b	Iguala objetos idénticos, o imágenes, de entre un conjunto desordenado de 8, con 25 objetos **(T)**	
7-c	Iguala imágenes idénticas, pero con diferentes fondos, de entre un conjunto desordenado de 8; para 25 imágenes **(T)**	
7-d	Iguala imágenes (2D) con objetos (3D) idénticos y viceversa, de entre un conjunto de 8. Esto lo realiza con 10 pares de objetos 2D y 3D (p.ej., iguala una foto de *Rayo McQueen* con un juguete de *Rayo McQueen*) **(T)**	
7-e	Iguala de forma espontánea 2 objetos al jugar o en otras situaciones (p.ej., toma el muñeco de la *Pepa Pig* y lo iguala con otro juguete de la *Pepa Pig* que está dentro de una caja) **(O)**	
7-f	Realiza igualaciones idénticas de entre un grupo de 8. Realiza 10 igualaciones en menos de 20 segundos (fluidez) **(T)**	
7-M	**Clasifica por similitud en el color o la forma; lo hace con 10 colores o formas diferentes (p.ej., si se le presentan recipientes de color rojo, azul o verde, y ositos de color rojo, azul o verde, clasifica ambos tipos de objeto por color) (T)**	
8-a	Generaliza 5 tareas nuevas de igualación idéntica, sin entrenamiento formal **(E)**	
8-b	Iguala objetos idénticos o imágenes extraídos de un libro. Lo hace para 25 objetos **(T)**	
8-c	Iguala objetos idénticos o imágenes que encuentra en el contexto natural. Lo realiza con 25 objetos **(T)**	
8-d	Selecciona 3 objetos que no son idénticos, pero que están relacionados entre ellos (p.ej., de una caja llena de juguete, selecciona y toma todos los animales de granja) **(T)**	
8-e	Monta con éxito 5 partes que forman un juguete o una actividad lúdica. Lo realiza con 5 juguetes diferentes (p.ej., Duplos, Legos, trenes, El señor Patata, etc.) **(T)**	
8-M	**Iguala objetos o imágenes idénticas en un conjunto desordenado de 8 en el que también hay 3 estímulos similares al que debe escoger; lo hace para 25 objetos (p.ej., empareja un perro con un perro en un conjunto de 8 estímulos en el que también hay un gato, un cerdo y un caballo) (T)**	
9-a	Iguala objetos o imágenes de diferentes colores, manteniendo idénticas el resto de características. Realiza la acción con 25 objetos (p.ej., un Volkswagen Beetle rojo de juguete con otro igual de color azul) **(T)**	
9-b	Iguala objetos o imágenes no idénticas de entre un conjunto desordenado de 8 en el que hay 2 estímulos similares. Realiza esta acción con 25 objetos **(T)**	
9-c	Iguala objetos o imágenes no idénticas extraídas de un libro. Lo hace con 25 objetos **(T)**	
9-d	Iguala objetos o imágenes no idénticas que forman parte del contexto natural. Lo hace con 25 objetos **(T)**	
9-e	Muestra de forma espontánea igualación en el contexto natural, en 2 ocasiones (p.ej. *Busca el otro zapato*) **(T)**	
9-M	**Iguala objetos o imágenes no idénticas en un conjunt odesordenado de 10 estímulos; lo hace para 25 objetos (p.e., iguala un camión Ford con un camión Toyota) (T)**	
10-a	Ordena, recoge y agrupa 5 juguetes, personajes u objetos diferettnes, o cualquier objeto que vaya con otros como parte de un conjunto (p.ej., una vajilla de juguete) **(T)**	
10-b	Iguala una imagen de una parte del cuerpo con la parte de su cuerpo que corresponde; lo hace para 5 partes del cuerpo **(E)**	
10-c	Iguala una imagen de una acción con una imagen no idéntica de la misma acción; lo hace para 10 acciones (p.ej., iguala una imagen de una niña nadando en una piscina con la imagen de un niño que nada en una piscina diferente) **(T)**	
10-d	Colorea imágenes en un libro para colorear aunque a veces se sale de la línea **(T)**	
10-e	Iguala 10 objetos diferentes que estas relacionados (p.ej., un zapato con un calcetín) **(T)**	
10-M	**Iguala objetos no idénticos (3D) con imágenes (2D) y/o viceversa, de entre un conjunto de 10 con 3 estímulos parecidos. Lo hace con 25 objetos (T)**	

(T) = Evaluación directa;   **(O)** = Observación;   **(E)** = Evaluación u observación;   **(TO)** = Observación cronometrada

Habilidad	JUEGO INDEPENDIENTE – NIVEL 2	Logra
6-a	Lleva consigo 2 o más juguetes mientras camina **(O)**	
6-b	Juega de forma independiente con puzles encajables durante 1 minuto **(O)**	
6-c	Participa en juego sensorial durante 2 minutos (p.ej., jugar con arena, con arroz, con crema de afeitar, etc.) **(O)**	
6-d	Salpica agua y juega con objetos en una piscina o bañera **(O)**	
6-e	Juega con juguetes que tienen múltiples partes durante 2 minutos (p.ej., animales de la granja, etc.) **(O)**	
6-M	**Busca el objeto que falta o la parte que le falta al juguete. Lo realiza con 5 juguetes (p.ej., pieza del puzle, el biberón para el bebé, la nariz del señor Patata) (E)**	
7-a	Hace garabatos en una pizarra o hoja de papel **(O)**	
7-b	Espera mientras se está preparando la actividad **(O)**	
7-c	Juega de forma autónoma durante 2 minutos, sin interacción con adultos **(O)**	
7-d	Clasifica o separa sus juguetes favoritos del resto (p.ej., saca a Rayo McQueen en entre varios coches) **(O)**	
7-e	Imita espontáneamente el uso de objetos de los adultos (p.ej., peinarse el pelo) **(O)**	
7-M	**Muestra de forma independiente el uso de los juguetes o de objetos según su función. Lo realiza con 5 objetos (p.ej., pone el tren sobre la vía, se acerca el teléfono a la oreja) (O)**	
8-a	Juega independientemente en un parque de juegos, durante 2 minutos, sin ayuda de adultos **(O)**	
8-b	Observa y luego imita a otros niños en lugares dónde hay juegos, como los parques (p.ej., deslizarse por el tobogán) **(O)**	
8-c	Introduce formas en un cordón o hilo, o bien realiza actividades parecidas dónde haya respuestas motoras finas, durante 1 minuto (p.ej., hacer pulseras) **(O)**	
8-d	Juega con 2 sets de juguetes siguiendo su uso estipulado (p.ej., set de martillo y mesa de herramientas, set de cocina, etc.) **(O)**	
8-M	**Juega con los objetos mostrando dos formas diferentes de juego creativo (p.ej., utiliza un plato como batería o una caja como coche imaginario) (O)**	
9-a	Usa mandos para ir a jugar o bien para obtener objetos a los que no tiene acceso (p.ej., dirige un mando a un adulto para que le suba a un columpio del parque) **(O)**	
9-b	Completa 5 puzle encajables de 5 piezas o más **(O)**	
9-c	Juega repetidamente con componentes específicos de un juego (p.ej., baja del tobogán varias veces, va repetidamente a un puente colgante, etc.) **(O)**	
9-d	Chuta a una pelota de forma espontánea **(O)**	
9-M	**Participa en lugares dónde hay juegos de forma independiente durante 5 minutos (p.ej., bajar por el tobogán, columpiarse) (TO: 30 min.)**	
10-a	Juega con un conjunto de juguetes siguiendo la función estipulada (p.ej., jugar a las cocinitas) **(O)**	
10-b	Permite que otros niños jueguen cerca **(O)**	
10-c	Muestra interés en un proyecto realizado por un compañero (p.ej.,un castillo de arena, una estructura de Legos, etc.) **(O)**	
10-d	Pide a sus compañeros no le dañen sus estructuras o construcciones **(O)**	
10-e	Improvisa cuando le faltan piezas (p.ej., juega con un coche que le falta una rueda) **(O)**	
10-f	Ayuda a recoger juguetes al terminar una actividad, con ayuda de los adultos **(O)**	
10-M	**Encaja y monta juguetes de varias piezas; lo hace con 5 juguetes diferentes (p.ej., Sr. Patata, Playmobil®, etc.) (O)**	

Habilidad	CONDUCTA SOCIAL Y JUEGO SOCIAL – NIVEL 2	Logra
6-a	Mira a sus compañeros cuando habla en 2 ocasiones **(O)**	
6-b	Persigue a sus compañeros cuando juegan, con ayuda de adultos, en 2 ocasiones **(O)**	
6-c	Se sienta con sus compañeros en una actividad de grupo (p.ej., música) sin realizar problemas de conducta durante 2 minutos **(O)**	

(T) = Evaluación directa;   (O) = Observación;   (E) = Evaluación u observación;   (TO) = Observación cronometrada

Habilidad	CONDUCTA SOCIAL Y JUEGO SOCIAL – NIVEL 2 (Continuación)	Logra
6-d	Participa en juegos físicos con sus compañeros (p.ej., haciendo la croqueta en el césped), con ayuda de adultos, en 2 ocasiones (O)	
6-e	Imita de forma espontánea 5 conductas diferentes de sus compañeros (O)	
6-M	**Inicia una interacción física con los compañeros en 2 ocasiones (p.ej., ir de la mano, hacer el corro de la patata, etc.) (TO: 30min.)**	
7-a	Emite mandos a sus compañeros, con ayuda de adultos, en 5 ocasiones (p.ej., le pide una galleta a Carla) (T)	
7-b	Hace ecoicas de los sonidos o palabras emitidas por sus compañeros, con ayuda de los adultos, en 2 ocasiones (p.ej., ¿Qué dijo?) (T)	
7-c	Se une espontáneamente en actividades lúdicas con otros niños, en 2 ocasiones (p.ej., jugar en la casita del parque) (O)	
7-d	Ofrece un reforzador de forma espontánea a un compañero en 1 ocasión (O)	
7-M	**Emite mandos espontáneos a sus compañeros en 5 ocasiones (p.ej., Me toca a mí, Empújame, Mira, Ven) (TO: 60min.)**	
8-a	Saluda de forma espontánea a otras personas con un movimiento de la mano o con una respuesta vocal, en 1 ocasión (O)	
8-b	Imita espontáneamente las acciones que realizan sus compañeros con objetos en 2 ocasiones (p.ej., soplar un molino de viento) (O)	
8-c	Responde a mandos de sus compañeros, con ayuda de adultos, en 2 ocasiones (p.ej., Dale el coche) (E)	
8-d	Hace ecoicas de las palabras que ha emitido un compañero, en 2 ocasiones (O)	
8-M	**Participa en juegos sociales con compañeros durante 3 minutos sin ayuda del adulto o del reforzamiento (p.ej., montar entre todos un escenario de Playmobil® o un set de juegos) (TO: 3 min.)**	
9-a	De forma espontánea imita a iguales mientras montan o construyen un juguete; en 1 ocasión (p.ej., Legos) (O)	
9-b	Responde correctamente a los mandos de sus compañeros, en 2 ocasiones (p.ej., Dame el camión) (E)	
9-c	Responde correctamente a los mandos de acción de sus compañeros; en 2 ocasiones.(p.ej., Empújame) (E)	
9-d	Responde a los mandos de sus compañeros para terminar una acción en 1 ocasión (p.ej., Para de empujarme) (E)	
9-e	Emite mandos de ayuda, de forma espontánea, hacia los adultos, en 1 ocasión (O)	
9-f	Tacta objetos para ayudando a sus compañeros con ayuda de adultos en 2 ocasiones (p.ej., Ahí está tu coche) (O)	
9-M	**Responde espontáneamente a los mandos de sus compañeros en 5 ocasiones (p.ej., Empújame, Quiero ir en tren) (E)**	
10-a	Dirige mandos espontáneamente a sus iguales para que sigan instrucciones, en 2 ocasiones (p.ej., Pon la bicicleta acá) (O)	
10-b	Emite mandos espontáneamente para que otras personas atiendan a lo que él o ella está observando (p.ej., ¡Mira esto!) (O)	
10-c	Emite mandos espontáneamente para que otras personas presten atención a lo que está haciendo, en 2 ocasiones (p.ej., Mírame) (O)	
10-d	Emite mandos para obtener la atención de sus compañeros, en 2 ocasiones (p.ej., ¡Oye, Juan!) (O)	
10-e	Dirige mandos espontáneamente a un compañero que está montando en bicicleta, conduciendo un coche de juguete u otro juguete de este tipo, en 2 ocasiones (O)	
10-M	**Dirige mandos espontáneos a sus compañeros para participar en juegos sociales, en 2 ocasiones (p.ej., ¡Vamos a cavar un túnel!) (TO: 60min.)**	

Habilidad	IMITACIÓN MOTORA – NIVEL 2	Logra
6-a	Imita la acción de soplar en 2 ocasiones (p.ej., burbujas, velas, globos, etc.) (T)	
6-b	Imita 5 gestos comunes (p.ej., encoger los hombros, colocar el dedo en los labios sugiriendo silencio, levantar el dedo pulgar para afirmar o dar la aprobación, etc.) (E)	
6-c	Imita la acción de girar la página de un libro (T)	

Comentarios/notas:

(T) = Evaluación directa;   **(O)** = Observación;   **(E)** = Evaluación u observación;   **(TO)** = Observación cronometrada

Habilidad	IMITACIÓN MOTORA – NIVEL 2 (*Continuación*)	Logra
6-d	Imita 5 acciones con un objeto específico seleccionado de entre un conjunto de 2 (p.ej., imita el abrazar a un perrito de entre un conjunto de una muñeca y un perrito) **(T)**	
6-e	Imita la acción de separar 5 objetos diferentes (p.ej., *Duplos, Kid K'Nex*[1], tapas de recipientes, Legos, etc.) **(T)**	
6-M	**Imita 10 acciones que requieren la selección de un objeto específico de entre un conjunto (p.ej., selecciona una baqueta de tambor de un conjunto que contiene un platillo y una campana; luego hace como que toca el tambor) (T)**	
7-a	Imita 3 conductas de juego en el contexto natural (p.ej., empujar un coche por una rampa) **(T)**	
7-b	Imita 5 conductas formadas por dos pasos (p.ej., *Tócate la cabeza... ahora tócate los hombros*) **(E)**	
7c	Imita espontáneamente una conducta observada en la televisión o en un vídeo (p.ej.,bailar, saltar etc.) **(O)**	
7-d	Imita 5 expresiones faciales (p.ej., besar, abrir la boca, cerrar los ojos, arrugar la nariz, etc.) **(T)**	
7-e	Mantiene una conducta imitativa recién adquirida transcurridas 24 horas sin entrenamiento **(T)**	
7-f	Imita una conducta nueva correctamente en el primer ensayo **(E)**	
7-g	Imita 5 ejemplos de juegos con los dedos (p.ej., hace caminar dos dedos, bailar con los dedos, etc.) **(T)**	
7-M	**Imita 20 respuestas motoras cuando se le pide (p.ej., *Mueve los dedos, Haz una mariposa, Enséñame el puño, Pellizca*) (T)**	
8-a	Imita 5 acciones en una prueba de fluidez de 10 segundos **(T)**	
8-b	Imita la acción de dibujar un círculo, en 2 ocasiones **(T)**	
8-c	Imita 5 actividades de juego imaginario (p.ej., ser un monstruo, servir té, disparar telarañas) **(T)**	
8-d	Imita espontáneamente 5 actividades artísticas o manuales que requieren respuestas motoras finas (p.ej., cortar, pegar, dibujar, etc.) **(O)**	
8-e	Adquiere 5 habilidades nuevas como oyente, a través de la transferencia de control de imitación a oyente (p.ej., aprende a lanzar una caña de pesar de juguete, primero observando cómo se hace y, posteriormente, con instrucciones) **(T)**	
8-f	Imita a otros niños durante actividades cotidianas en 2 ocasiones (p.ej., hacer fila, levantar la mano, etc.) **(O)**	
8-g	Imita una conducta divertida observada anteriormente (imitación demorada) (p.ej., salpicar agua) **(T)**	
8-M	**Imita 10 acciones diferentes compuestas por 3 secuencias cuando se le pide (p.ej., *Aplaude, salta y tócate los pies; Toma la muñeca, ponla en la cuna y mécela*) (T)**	
9-a	Imita una actividad social de juego de roles (teatro) modelada por un compañero, en 2 ocasiones **(T)**	
9-b	Imita espontáneamente 5 conductas en una actividad de grupo (p.ej., se sienta, cuando otros niños se sientan) **(O)**	
9-c	Imita 10 acciones de dos componentes (p.ej., hacer ver que sirve café y se lo bebe) **(E)**	
9-d	Imita la misma conducta rápidamente y lentamente, para 5 conductas (p.ej., levanta los brazos, rápido y lento) **(T)**	
9-M	**Imita espontáneamente 5 habilidades funcionales en un contexto natural (p.ej., comer con una cuchara, colgar el abrigo y quitarse los zapatos) (O)**	
10-a	Imita el construir objetos o juguetes (p.ej., Legos, juegos de bloques, un juego de trenes, etc.) **(E)**	
10-b	Imita 5 secuencias con múltiples pasos de habilidades de higiene personal (p.ej., cepillarse los dientes, lavarse la cara, ponerse los zapatos, etc.) **(E)**	
10-c	Imita 5 actividades funcionales de la vida diaria (p.ej., poner la mesa, barrer el suelo, etc.) **(E)**	
10-d	Muestra imitación demorada de la conducta de adultos al mostrar juego imaginario (p.ej., hacer ver que conduce, que escribe, etc.) **(O)**	
10-e	Imita 50 conductas motoras diferentes, cuando se le instruye **(E)**	
10-M	**Imita (o lo intenta mediante aproximaciones) cualquier acción motora nueva modelada por un adulto con o sin objetos, es decir, tiene un "repertorio generalizado de imitación" (T)**	

[1] N. del E.: Juego educativo de construcción.

T) = Evaluación directa;   **(O)** = Observación;   **(E)** = Evaluación u observación;   **(TO)** = Observación cronometrada

RESPUESTAS DE OYENTE SEGÚN CLASE, CARACTERÍSTICA O FUNCIÓN (LRFFC) – NIVEL 2

Habilidad		Logra
	(NOTA. ESTA SECCIÓN COMIENZA DIRECTAMENTE EN EL NIVEL 2)	
6-a	Selecciona un animal de entre un conjunto de 3 para 5 sonidos emitidos por animales (p.ej., miau hace el…) **(T)**	
6-b	Selecciona un objeto de entre un conjunto de 3 para 5 sonidos diferentes típicos de objetos (p.ej., "Chuchu, chu hace el…") **(T)**	
6-c	Selecciona un objeto de entre un conjunto de 3, para 5 canciones que tenga que completar (p.ej., "En la …. de Pepito", "Tengo una muñeca vestida de…") **(T)**	
6-M	**Selecciona 5 comidas o bebidas diferentes cuando se presentan entre un conjunto de 5 (en el conjunto hay 4 objetos que no son comestibles y 4 líquidos que no pueden beberse). Se le pide que complete la oración (p.ej., *Tú comes… y Tú bebes…*) (T)**	
7-a	Selecciona un objeto de entre un conjunto de 5 para 5 oraciones que hay que completar (p.ej., *Duermes en la…*) **(T)**	
7-b	Selecciona un objeto de entre un conjunto de 5 para 5 conjuntos de palabras asociadas (p.ej., *Zapatos y…*) **(T)**	
7-c	Puede invertir el orden de asociaciones en 5 respuestas LRFFC previamente aprendidas (p.ej., *Calcetines y…, zapatos y…*) **(T)**	
7-d	Generaliza 10 respuestas LRFFC ya aprendidas alterando el volumen, la prosodia, el tono de voz, etc. **(T)**	
7-e	Generaliza sin entrenamiento 10 respuestas LRFFC ya aprendidas utilizando frases tipo (p.ej., *Es hora de…, Yo quiero…, Vamos a…*)	
7-f	Generaliza 10 respuestas LRFFC ya aprendidas a 2 objetos o imágenes diferentes (p.ej., a dos zapatos diferentes) **(E)**	
7-M	**Selecciona el objeto correcto de entre un conjunto de 8 para 25 preguntas LRFFC de frases a completar (p.ej., *Te sientas en la…*) (T)**	
8-a	Selecciona un objeto de entre un conjunto de 8; lo hace en 10 frases a completar con una *función* (p.ej., *Pintas con un…*) **(T)**	
8-b	Selecciona un objeto de entre un conjunto de 8; lo hace en 10 frases a completar con una característica (p.ej., *Una rueda es…*) **(T)**	
8-c	Selecciona un objeto de entre un conjunto de 8; lo hace en 10 frases a completar con una *clase* (p.ej., *Vender joyas es un…*) **(T)**	
8-d	Selecciona un objeto de entre un conjunto de 8; lo hace para diez preguntas con *Qué* (p.ej., *¿Qué comes?*) **(E)**	
8-e	Selecciona un objeto de entre un conjunto de 8; lo hace para diez preguntas con *Cuál* (p.ej., *¿Cuál es el grande?*) **(E)**	
8-f	Selecciona un objeto de entre un conjunto de 8; lo hace para diez preguntas con *Quién* (p.ej., *¿Quién hace nidos?*) **(E)**	
8-M	**Selecciona el objeto correcto de entre un conjunto de 10 o, utilizando un libro, responde a 25 preguntas diferentes con qué, cuál o quién (p.ej., *¿Qué tiene ruedas?, ¿Quién ladra?*) (T)**	
9-a	Muestra generalización de respuestas LRFFC entre 5 ejemplares de una clase (p.ej., 5 animales diferentes); lo realiza para 10 clases **(T)**	
9-b	Emite 10 respuestas LRFFC ya adquiridas en una serie de 10 en menos de 1 minuto (fluidez) **(T)**	
9-c	Selecciona un objeto independientemente de la instrucción empleada (p.ej., *¿Cuál de estas es una comida?, ¿Cuál sueles comer?*). Lo realiza con 10 objetos diferentes **(T)**	
9-d	Selecciona un objeto de entre un conjunto de 10 ante 10 preguntas LRFFC con *Dónde* (p.ej., *¿Dónde está la leche?*) **(T)**	
9-e	Demuestra 10 respuestas LRFFC en contextos naturales **(T)**	

Comentarios/notas:

(T) = Evaluación directa; **(O)** = Observación; **(E)** = Evaluación u observación; **(TO)** = Observación cronometrada

RESPUESTAS DE OYENTE SEGÚN CLASE, CARACTERÍSTICA O FUNCIÓN (LRFFC) – NIVEL 2

Habilidad		Logra
9-M	**Selecciona un objeto ante 3 instrucciones diferentes presentadas independientemente para cada objeto (p.ej., *Encuentra un animal, ¿Quién ladra?, ¿Quién tiene patas?*); lo hace para 25 objetos (T)**	
10-a	Selecciona un objeto de entre un conjunto de 10 dándole la clase y la función (p.ej., *Encuentra algo que se ponga en los pies*). Lo realiza con 25 objetos.**(E)**	
10-b	Selecciona un objeto de entre un conjunto de 10 dándole la clase y las características (p.ej., *Encuentra un animal que vuele*). Lo realiza con 25 objetos **(E)**	
10-c	Muestra 5 respuestas LRFFC no entrenadas en el contexto natural **(T)**	
10-d	Generaliza 25 respuestas LRFFC de 2 componentes sin entrenamiento previo (p.ej., *Dame una fruta roja*) **(T)**	
10-e	Emite espontáneamente 5 respuestas discriminadas por verbalizaciones que incluyen clase, función o característica (LRFFC) (p.ej., va a buscar la escoba después de escuchar que el suelo está sucio) **(T)**	
10-M	**Tacta espontáneamente objetos en el 50% de los ensayos teniendo en cuenta clase, función o característica (p.ej., se le pide que encuentre un animal en un conjunto de imágenes que incluye una de un perro) (E)**	

Habilidad	INTRAVERBAL – NIVEL 2	Logra
	(*NOTA.* ESTA SECCIÓN COMIENZA DIRECTAMENTE EN EL NIVEL 2)	
6-a	Proporciona el sonido hecho por 2 animales u objetos (p.ej., *El perro dice… Una bocina hace…*) **(T)**	
6-b	Nombra 2 animales cuando se le dan los sonidos que hacen (p.ej., *Miau hace el…*) **(T)**	
6-c	Completa 5 canciones diferentes (p.ej., *Los pollitos dicen… A la rueda…*, etc.) **(T)**	
6-d	Completa 2 frases diferentes relacionadas con actividades divertidas (p.ej., *Preparados, listos…*) **(T)**	
6-M	**Completa 10 frases de cualquier tipo (p.ej., canciones, sonidos de animales u objetos, juegos sociales con canciones divertidas que debe completar) (T)**	
7-a	Completa 5 frases diferentes en contexto (p.ej., *Tú duermes en una…*, mientras está acostado en su cama) **(T)**	
7-b	Completa 5 frases incompletas presentadas en orden invertido y en contexto (p.ej., *A la cama vamos a …*) **(T)**	
7-c	Completa 5 frases diferentes fuera de contexto (p.ej., *Te lavas las…*) **(T)**	
7-d	Generaliza 10 respuestas intraverbales, ya adquiridas, entre personas y lugares diferentes **(E)**	
7-M	**Responde cuando le pregunta *¿Cómo te llamas?* (T)**	
8-a	Completa 2 clasificaciones de *comida* y 2 clasificaciones de *bebida* en tareas de rellenar espacios en blanco (p.ej., *Comes… Bebes…*) **(T)**	
8-b	Completa 5 asociaciones de dos sustantivos diferentes en tareas de rellenar espacios en blanco (p.ej., *La mamá y el…*) **(T)**	
8-c	Completa 5 canciones con 2 palabras o más (p.ej., *Los pollitos dicen… Pio, pio, pio*) **(E)**	
8-d	Generaliza 10 respuestas intraverbales a frases nuevas tipo (p.ej., *Botamos una…Vamos a botar una…*) **(E)**	
8-M	**Completa 25 frases (sin incluir canciones) (p.ej., *Tu comes…, Duermes en la …*) (T)**	
9-a	Completa 10 frases diferentes combinando verbo y sustantivo (p.ej., *Conduces el…, Juegas en el…*, etc.) **(T)**	
9-b	Emite espontáneamente 2 respuestas intraverbales (sin ayuda verbal) **(O)**	
9-c	Responde 10 preguntas diferentes con *Qué*, en las que un verbo es el E^D principal (p.ej., *¿Qué cepillas?*) **(T)**	
9-d	Responde 10 preguntas diferentes con *Qué*, con un sustantivo como el E^D principal (p.ej., *¿Qué hay en el establo?*) **(T)**	
9-e	Cuando se le pregunta *¿Qué comes (o bebes)?* Responde con 2 o más miembros de cada categoría **(T)**	

Comentarios/notas:

(T) = Evaluación directa;   **(O) = Observación;**   **(E) = Evaluación u observación;**   **(TO) = Observación cronometrada**

Habilidad	INTRAVERBAL – NIVEL 2	Logra
9-f	Emite 5 respuestas nuevas a preguntas previamente adquiridas (generalización de respuesta) (p.ej., al preguntarle por un animal, responde *oso* sin haber recibido un entrenamiento para ello) **(T)**	
9-M	**Responde a 25 preguntas con Qué (p.ej.,¿Qué te cepillas?) (T)**	
10-a	Responde 5 preguntas diferentes con *Dónde* (p.ej., ¿Dónde están tus videos?) **(T)**	
10-b	Responde 5 preguntas diferentes con *Quién* (p.ej., ¿Quién es tu profesora?) **(T)**	
10-c	Muestra 2 respuestas intraverbales no entrenadas (p.ej., responde *Flor*, cuando alguien dice *Margarita*) **(E)**	
10-d	Responde 10 preguntas diferentes sobre la clase (p.ej., ¿Qué animales te gustan? ¿Qué juguetes te gustan?, etc.) **(T)**	
10-e	Responde preguntas sobre el color y el nombre de 10 objetos visibles (p.ej., ¿Qué es esto? ¿De qué color es?) **(T)**	
10-f	Responde 10 preguntas diferentes sobre función (p.ej., ¿Qué haces con un cepillo de dientes?) **(T)**	
10-g	Emite de forma espontánea 5 mandos intraverbales (p.ej., el papá dice *Hace calor*, y el niño dice ¿*Vamos a nadar?*) **(E)**	
10-M	**Responde a 25 preguntas con quién y dónde (p.ej.,¿Quién es tu amigo?,¿Dónde está tu almohada?) (T)**	

Habilidad	RUTINAS EN EL AULA Y HABILIDADES GRUPALES – NIVEL 2	Logra
6-a	Se adapta cuando sus padres han de marchar (separación) (p.ej., no llora cuando sus padres se van) **(O)**	
6-b	Se sienta a la mesa a comer después de recibir ayuda física durante 1 minuto **(O)**	
6-c	Hace fila con otros niños después de recibir ayuda física **(O)**	
6-d	Obedece a todos los maestros sombra[2] en clase **(O)**	
6-M	**Se sienta en la mesa para comer sin presentar problemas de conducta durante 3 minutos (O)**	
7-a	No trata de alejarse de un compañero cuando se sienta al lado de él **(O)**	
7-b	Guarda sus objetos personales con ayuda verbal o gestual (p.ej., abrigo, mochila, recipiente para llevar la comida) **(O)**	
7-c	Va y se sienta en una mesa con otros niños, solo con ayuda verbal **(O)**	
7-d	Coopera al lavarse las manos necesitando ayuda física **(O)**	
7-e	No muestra problemas de conducta cuando un compañero se sienta al lado de él **(O)**	
7-M	**Guarda objetos personales, guarda la fila y se sienta en mesa con solo 1 ayuda verbal (O)**	
8-a	Se acerca a una actividad grupal y se sienta utilizando solo ayuda verbal **(O)**	
8-b	Se acerca y se sienta en mesa utilizando solo ayuda verbal **(O)**	
8-c	Espera mientras está sentado en mesa, sin tocar los materiales, hasta que se le permite hacerlo **(O)**	
8-d	Se sienta en una actividad de grupo durante 2 minutos sin emitir conductas disruptivas y sin necesitar ayuda para que permanezca sentado **(O)**	
8-M	**Realiza transiciones entre actividades sin necesidad de utilizar más de 1 ayuda verbal o gestual (O)**	
9-a	Después del recreo, entra en la clase necesitando solo ayuda verbal **(O)**	
9-b	Participa en actividades grupales de movimiento y canciones necesitando solo ayuda verbal (p.ej., a la rueda, rueda…, el baile del gorila, el baile del sapito, etc.) **(O)**	
9-c	Imita actividades grupales con objetos (p.ej., tocar la pandereta, agitar las maracas, etc.) **(O)**	
9-d	Canta canciones con el resto del grupo necesitando solo ayuda verbal (p.ej., *Sol solecito, La rana cantaba debajo del agua, La vaca lechera*) **(O)**	
9-M	**Se sienta en grupos pequeños durante 5 minutos sin presentar problemas de conducta o realizar intentos de escapar del grupo**	
10-a	Lleva platos o bandejas al fregadero y tira los restos en la basura, utilizando solo ayuda verbal **(O)**	
10-b	Toma su comida requiriendo solo ayuda verbal **(O)**	
10-c	Guarda su mochila, la fiambrera o lonchera y su abrigo nada más entrar al aula con ayuda imitativa de los compañeros **(E)**	
10-d	Toma y abre de forma autónoma todo lo necesario para comer o desayunar **(O)**	

N. del E.: *teacher aid*, en inglés, en el original. Maestro de apoyo.

(T) = Evaluación directa; **(O)** = Observación; **(E)** = Evaluación u observación; **(TO)** = Observación cronometrada

Habilidades	RUTINAS EN EL AULA Y HABILIDADES GRUPALES – NIVEL 2 (*Continuación*)	Logra
10-e	Responde verbalmente en un contexto de grupo, en 2 ocasiones, durante una sesión de 5 minutos **(O)**	
10-f	Imita a sus compañeros mientras cantan o en cualquier actividad grupal en una sesión de 5 minutos, en 2 ocasiones **(O)**	
10-g	Se sienta en el váter sin emitir problemas de conducta cuando se le ofrece ayuda; puede que no llegue a excretar **(O)**	
10-M	**Se sienta en grupos pequeños durante 10 minutos, presta atención al maestro o maestra y a los materiales el 50% del tiempo y responde a 5 estímulos discriminativos del maestro o maestra (O)**	

Habilidad	ESTRUCTURA LINGÜÍSTICA – NIVEL 2	Logra
	(*NOTA.* ESTA SECCIÓN COMIENZA DIRECTAMENTE EN EL NIVEL 2)	
6-M	**Articula 10 tactos de forma inteligible para los adultos que le conocen y que no tienen presente el objeto que tacta (T)**	
7-a	Utiliza palabras reconocibles con más frecuencia que palabras idiosincráticas **(O)**	
7-b	Emite frases tipo de 2 a 3 palabras, sin "comprender" cada palabra (p.ej., *Es un gato. ¿Damos un paseo?*, etc.) **(O)**	
7-c	Tiene un vocabulario total de hablante de 50 palabras (incluyendo todas las operantes verbales, excepto las ecoicas) **(E)**	
7-M	**Tiene un vocabulario de oyente de 100 palabras (p.ej., *Tócate la nariz, Salta, Busca las llaves*) (T)**	
8-a	Emite mandos de 2 palabras para que se repita de nuevo una acción (p.ej., *más cosquillas*) **(E)**	
8-b	Emite mandos de 2 palabras combinando sustantivo y verbo o verbo y sustantivo, o tactos (p.ej., *Dame agua, Bebé llora*, etc.) **(E)**	
8-c	Ajusta el volumen de la voz cuando se le pide (p.ej., susurrando o hablando en voz alta) **(O)**	
8-d	Repite 10 ritmos diferentes, entonaciones o tonos **(O)**	
8-M	**Emite al día 10 expresiones diferentes compuestas por 2 palabras para cualquier tipo de operante, excepto para ecoicas (O)**	
9-a	Emite constantemente la primera consonante de las palabras **(O)**	
9-b	Emite mandos de posesión de 2 palabras (p.ej., *Mi galleta, Eso es mío*, etc.) **(E)**	
9-c	Emite mandos de 2 palabras o tactos para lugares (p.ej., *Ven aquí, Ahí está Tomás*) **(E)**	
9-d	Emite mandos de 2 palabras para expresar negación o rechazo (p.ej., *No quiero, Zapatos no, No voy*) **(O)**	
9-e	Combina 2 palabras para formar una palabra nueva, o una frase (p.ej., *Señorita Natalia*) **(O)**	
9-M	**Emite prosodia funcional (p.ej., entonación, ritmo, sílabas fuertes) en 5 ocasiones cada día (p.ej., pone énfasis en ciertas palabras como "es MÍO") (O)**	
10-a	Hace ecoicas de la mayoría de las palabras cuando se le pide (repertorio ecoico generalizado), aunque todavía comete errores de articulación **(E)**	
10-b	Las personas que no están familiarizadas con el estudiante pueden comprender al menos el 50% de las palabras que usa **(E)**	
10-c	Tiene un vocabulario total de oyente de 400 palabras **(E)**	
10-d	Emite verbalizaciones de al menos 2,5 morfemas[3] de extensión media (p.ej., *Empuja coche, ¿Dónde va mamá?*) **(E)**	
10-M	**Tiene un vocabulario hablando de 300 palabras (todas las operantes verbales, excepto las ecoicas) (E)**	

Comentarios/notas:

---

[3] N. del E.: por ejemplo, una frase de dos palabras con una tercera omitida, ver ejemplos.

(T) = Evaluación directa;   **(O)** = Observación;   **(E)** = Evaluación u observación;   **(TO)** = Observación cronometrada

Habilidad	MANDOS - NIVEL 3	Logra
11-a	Dirige mandos a sus iguales, en 5 ocasiones **(O)**	
11-b	Emite mandos espontáneamente por llamar la atención, en 5 ocasiones (p.ej., *¡Maestra!, ¡Oye!, ¡Perdón!*) **(O)**	
11-c	Emite 100 mandos o más en una semana **(TO: una semana)**	
11-d	Emite mandos formados por 3 palabras, en 10 ocasiones (p.ej., *¿Me dejas ver?*) **(O)**	
11-e	Emite mandos para obtener una cantidad específica de reforzadores, en 2 ocasiones (p.ej., *Dos ositos de gominola*) **(O)**	
11-M	**Emite mandos espontáneamente para pedir información utilizando preguntas con *qué, quién, cómo, cual* y *dónde*, en 5 ocasiones (p.ej.,*¿Cómo te llamas?, ¿Dónde vamos?*) (TO: 60 min.)**	
12-a	Emite mandos para eliminar un objeto o actividad aversiva, en 2 ocasiones (p.ej., *Suéltame, Devuélvemelo*, etc.) **(E)**	
12-b	Emite mandos para que otras personas hagan una acción de 2 pasos, en 2 ocasiones (p.ej.,*Ven aquí y mírame*) **(O)**	
12-c	Dice *Por favor* y *Gracias*, con ayuda verbal indirecta de adultos (p.ej., *¿Qué se dice?*) **(E)**	
12-d	Muestra generalización de operaciones motivadoras al preguntar por 2 reforzadores diferentes con las mismas palabras (p.ej., cuando quiere atención dice *Vamos a dibujar*, y cuando quiere escaparse de una tarea dice *Vamos a dibujar*) **(O)**	
12-e	Emite mandos para que otras personas participen en una actividad, en 2 ocasiones (p.ej., *Ven a jugar. Ayuda a escavar*) **(O)**	
12-M	**Emite mandos para pedir con educación la finalización o retirada de una operación motivadora aversiva en 5 circunstancias diferentes (p.ej., *Por favor, no me empujes más, ¿Puedes apartarte, por favor?*) (E)**	
13-a	Emite mandos espontáneamente para usar el baño, en 2 ocasiones **(O)**	
13-b	Emite mandos para que otras personas le atiendan a su propia conducta no verbal, en 2 ocasiones (p.ej., *Mírame*) **(O)**	
13-c	Emite mandos para que otras personas atiendan a algunos aspectos del ambiente, en 2 ocasiones (p.ej., *Mira, es un camión*) **(O)**	
13-d	Emite mandos con 2 adjetivos diferentes (p.ej., *Yo quiero la golosina roja*) **(O)**	
13-e	Emite mandos con 2 preposiciones diferentes (p.ej., *Ponlo en la casa*) **(O)**	
13-f	Emite mandos con 2 adverbios diferentes (p.ej., *Ve más despacio*) **(O)**	
13-M	**Emite mandos con 10 adjetivos, preposiciones o adverbios diferentes (p.ej., *Mi color está roto, Ve rápido, No lo saques*) (TO: 60min)**	
14-a	Emite mandos para recibir respuestas empáticas o apoyo emocional de otros, en 2 ocasiones (p.ej., *Él es malo*) **(O)**	
14-b	Emite mandos para que le den un objeto específico a terceras personas, en 2 ocasiones (p.ej., *Dáselo a Sara*) **(E)**	
14-c	Emite mandos pidiendo instrucciones para completar una tarea, en 2 ocasiones (p.ej., *¿Dónde va? ¿Cómo lo hago?*, etc.) **(O)**	
14-d	Emite mandos de forma espontánea utilizando 3 elementos sintácticos importantes (p.ej.,sustantivo, verbo, adjetivo) en una oración, en 2 ocasiones (p.ej., *Empuja la bicicleta grande rápido*) **(O)**	
14-M	**Explica cómo realizar algo, da instrucciones o explica qué hay que hacer para participar en una actividad, lo hace 5 veces (p.ej., *Primero pon el pegamento, luego engánchalo; Siéntate aquí mientras yo voy a tomar un libro*) (O)**	
15-a	Emite mandos de 5 palabras, en 10 ocasiones **(TO: 60 min.)**	
15-b	Emite mandos para obtener información acerca de eventos futuros, en 2 ocasiones (p.ej., *¿Cuándo vamos a la fiesta?*) **(O)**	
15-c	Emite mandos para obtener atención de algo que le sucede (evento privado) en 2 ocasiones (p.ej., *Me duele el estomago*) **(O)**	
15-d	Emite mandos por información utilizando la pregunta *Por qué*, en 5 ocasiones, **(O)**	
15-e	Emite mandos por información utilizando la pregunta *Cómo*, en 5 ocasiones, **(O)**	
15-M	**Dirige mandos a otras personas para que presten atención de su conducta intraverbal, lo realiza en 5 ocasiones (p.ej., *Escúchame, Te lo diré…, Lo que sucede es…te cuento…*) (O)**	

Comentarios/notas:

(T) = Evaluación directa;   **(O)** = Observación;   **(E)** = Evaluación u observación;   **(TO)** = Observación cronometrada

Habilidad	TACTOS – NIVEL 3	Logra
11-a	Tacta 2 estímulos olfativos (p.ej., *galletas, palomitas de maíz, flores*, etc.) **(E)**	
11-b	Adquiere 5 tactos nuevos en una semana, sin entrenamiento directo **(E)**	
11-c	Tacta 2 personas (que no son miembros de su familia) por sus nombres **(E)**	
11-d	Tacta 5 categorías o clases (p.ej., *Animales, bebidas, juguetes*, etc.) **(T)**	
11-e	Tacta 5 lugares (p.ej., *cocina, habitación, parque, la casa de la abuela*, etc.) **(T)**	
11-f	Tacta 25 objetos y/o actividades respondiendo *sí* o *no* (p.ej., *¿Estos son tus zapatos?, ¿Se llama Vicky?*, etc.) (También es una intraverbal porque se esta añadiendo un E^D verbal a la tarea) **(T)**	
11-g	Tacta la función de 25 objetos (p.ej., se le enseña un color y se le pregunta *¿Qué haces con esto?*) (es parte intraverbal) **(T)**	
11-h	Tacta 2 características especificas, o partes, de 25 objetos o personas (p.ej., ruedas y puertas en un coche) **(E)**	
11-i	La generalización ocurre con ejemplos nuevos de un objeto o una acción, en el primer ensayo, en 5 ocasiones **(E)**	
11-M	**Tacta el color, la forma y la función de 5 objetos (15 ensayos) mezclando al azar el aspecto por el que se pregunta cada vez (p.ej.,¿De qué color es la nevera?, ¿Qué forma tiene la manzana?, ¿Para qué sirve una pelota?) (Son tactos e intraverbales) (T)**	
12-a	Tacta la clase de 25 objetos (p.ej., un adulto señala un perro y dice *Un perro es un…*) (parte intraverbal) **(T)**	
12-b	Tacta cuando algo falta o es incorrecto, con 10 imágenes u objetos (p.ej., una cara sin una nariz) **(T)**	
12-c	Tacta la clase y la función de 10 objetos (p.ej., al mostrarle una galleta le preguntamos *¿Qué haces con esto?* Y luego le decimos, *Una galleta es un tipo de…*) (parte intraverbal) **(T)**	
12-d	Tacta 2 relaciones preposicionales (p.ej., *¿Dónde está Elsa?…"En" el palacio de hielo*) (Parte intraverbal) **(T)**	
12-e	Tacta 2 pronombres personales para una misma persona (p.ej., *¿Quién tiene el sombrero puesto?…Tú*) (parte intraverbal) **(T)**	
12-f	Tacta de forma espontánea la función, característica o clase de un objeto; lo realiza con 5 objetos (p.ej., *Eso va en la piscina*) **(O)**	
12-g	Generaliza tactos sobre las función, característica o clases con 10 miembros nuevos de cada grupo (p.ej., después de haber entrenado que la vaca, el pájaro y el mono son *animales*, el estudiante es capaz de tactar en el primer ensayo que el *oso* es un animal) **(T)**	
12-M	**Tacta 4 preposiciones diferentes (p.ej., en, sobre, entre, por) y 4 pronombres (p.ej., yo, tú, mío, mi) (E)**	
13-a	Tacta personas de acuerdo a su sexo utilizando 4 términos diferentes (*niña, niño, hombre, mujer*, etc.) **(T)**	
13-b	Tacta de forma espontánea la conducta de otras personas, en 2 ocasiones (p.ej., *Él está llorando*) **(O)**	
13-c	Tacta 2 pares de adjetivos relativos (p.ej., grande y pequeño; largo y corto) (parte intraverbal si se le hacen preguntas del tipo *¿De qué tamaño es…?*) **(T)**	
13-d	Tacta espontáneamente 2 adjetivos diferentes **(O)**	
13-e	Tacta espontáneamente 2 adverbios diferentes **(O)**	
13-f	Tacta espontáneamente la posesión de objetos, en 2 ocasiones (p.ej., *mío, tuyo*, etc.) **(O)**	
13-M	**Tacta 4 adjetivos diferentes, excluyendo colores y formas (p.ej., grande, pequeño, largo y corto) y 4 adverbios (p.ej., en silencio, con cuidado, despacio, rápidamente) (E)**	
14-a	Tacta personas teniendo en cuenta las relaciones de parentesco utilizando 4 términos diferentes (p.ej., *hermana, hermano, abuela, tío*) (es parte intraverbal si se hacen preguntas) **(E)**	
14-b	Tacta 5 combinaciones de sustantivo-adjetivo, en una oración completa (p.ej., *Ese es un perro grande*) **(E)**	
14-c	Tacta 5 combinaciones de verbo-adverbio, en una oración completa (p.ej., *Él está cantando en voz alta*) **(E)**	
14-d	Tacta 5 combinaciones de sustantivo-preposición, en una oración completa (p.ej., *El perro está en la casa*) **(E)**	
14-e	Tacta 5 combinaciones de sujeto-verbo-sustantivo, en una oración completa (p.ej., *La niña está empujando la carreta*) **(T)**	
14-M	**Tacta con oraciones completas formadas por 4 o más palabras, en 20 ocasiones (E)**	

Comentarios/notas:

    Copyright © 2021 Mark L. Sundberg, ABA España

T) = Evaluación directa; **(O) =** Observación; **(E) =** Evaluación u observación; **(TO) =** Observación cronometrada

Habilidad	TACTOS - NIVEL 3 *(Continuación)*	Logra
15-a	Tacta 3 estados emocionales propios o de otras personas (p.ej., *triste, feliz, alegre*, etc.) (es parte intraverbal si se le hacen preguntas del tipo *¿Cómo te sientes?*) **(E)**	
15-b	Tacta, con frecuencia, 5 gestos que suelen utilizarse y tienen función verbal (p.ej., taparse la nariz para expresar mal olor, colocar el dedo índice en los labios para expresar silencio, etc.) **(T)**	
15-c	Tacta 5 oficios que prestan servicios en la comunidad (p.ej., *policía, bombero, enfermera, doctor, cartero,* etc.) **(T)**	
15-d	Tacta con 2 palabras de negación diferentes, en 5 ocasiones (p.ej., *Eso no es un gato*) **(T)**	
15-e	Tacta 5 eventos sociales, comunitarios o de grupo (p.ej., *un desfile, una fiesta, un accidente*) **(T)**	
15-f	Tacta, espontáneamente, 2 circunstancias sociales diferentes (p.ej., *Los niños están ocupados, Los mayores están discutiendo*) **(O)**	
15-g	Utiliza de forma espontánea tactos no entrenados en oraciones que contienen al menos 5 palabras; lo hace en 5 ocasiones **(O)**	
15-M	**Presenta un vocabulario total de tactos (p.ej., sustantivos, verbos, adjetivos) de 1000 palabras ya adquiridas o anotadas en un listado (sustantivos, verbos, adjetivos, etc.) (T)**	

Habilidad	RESPUESTA DE OYENTE – NIVEL 3	Logra
11-a	Coloca 5 objetos específicos dónde pertenecen (p.ej., guarda el cepillo de dientes) **(T)**	
11-b	Discrimina 4 colores de entre un conjunto de 4 objetos de diferentes colores **(T)**	
11-c	Discrimina 4 formas de entre un conjunto de 4 formas diferentes **(T)**	
11-d	Discrimina entre 2 preposiciones diferentes (p.ej., *en, sobre, bajo,* etc.) **(T)**	
11-e	Discrimina entre los pronombres personales de primera persona frente a otros (p.ej., tuyo versus mío) **(T)**	
11-f	Selecciona 2 colores diferentes o formas de entre un conjunto de 8; para 10 pares de objetos (p.ej., *dame el rojo y el azul*) **(T)**	
11-M	**Selecciona los objetos por color y forma de entre un conjunto de 6 objetos parecidos; lo hace para 4 colores y 4 formas (p.ej., Busca el coche rojo, Encuentra la galleta redonda) (T)**	
12-a	Sigue instrucciones para llevar un objeto a 5 lugares diferentes (p.ej., *Lleva la bandeja al fregadero*) **(T)**	
12-b	Se dirige a 5 lugares diferentes y recoge objetos específicos (p.ej., *Ve a la cocina y trae un vaso*) **(T)**	
12-c	Selecciona objetos de entre un conjunto de estímulos similares teniendo en cuenta el adjetivo (p.ej., *Toca el pájaro pequeño*) **(T)**	
12-d	Discrimina entre los sexos de niña y niño, y de hombre y mujer (p.ej., *¿Dónde está la niña?*) **(T)**	
12-e	Discrimina entre hombres y mujeres al escuchar los pronombres correspondientes (p.ej., *él y ella*) **(T)**	
12-f	Muestra acciones modificadas por 2 adverbios diferentes[4] (p.ej., *Camina lentamente, Camina rápido*) **(T)**	
12-M	**Sigue 2 instrucciones que contengan 6 preposiciones diferentes (p.ej., Ponte detrás de la silla) y sigue instrucciones con 4 pronombres diferentes (p.ej., Tócate la oreja) (T)**	
13-a	Muestra 3 emociones imaginarias cuando se le pide (p.ej., *Muéstrame una cara triste. Pon cara de felicidad*) **(T)**	
13-b	Discrimina como oyente 10 objetos teniendo en cuenta sujeto, adjetivos y sustantivos (p.ej., *Muéstrame el pelo rojo de la niña*) **(T)**	
13-c	Lleva a cabo 10 acciones teniendo en cuenta sujeto, preposiciones y sustantivos (p.ej., *Pon el caballo en la granja*) **(T)**	
13-d	Discrimina como oyente 10 objetos teniendo en cuenta verbos, pronombres y sustantivos (p.ej., *Cepíllale el pelo*) **(T)**	
13-e	Generaliza un pronombre y una preposición a una situación nueva (p.ej., usa *tú* correctamente, con un amigo nuevo) **(T)**	
13-M	**Selecciona objetos de entre un conjunto de estímulos parecidos de acuerdo a 4 pares de adjetivos relativos (p.ej., pequeño/grande, largo/corto) y 4 pares de adverbios relativos (p.ej., lentamente/rápidamente, en voz alta/en voz baja) (T)**	

N. del E.: se incluyen aquí adverbios adjetivales (p.ej., *Sabe raro, Vuela bajo, Vamos tarde*).

(T) = Evaluación directa;   **(O)** = Observación;   **(E)** = Evaluación u observación;   **(TO)** = Observación cronometrada

Habilidad	RESPUESTA DE OYENTES - NIVEL 3 (*Continuación*)	Logro
14-a	Lleva a cabo 10 acciones que contienen sustantivo, verbo y adverbio (p.ej., *Muéstrame la rana que salta alto*) **(T)**	
14-b	Lleva a cabo 10 acciones que contienen sustantivo, adjetivo y verbo (p.ej., *Muéstrame el oso grande que baila*) **(T)**	
14-c	Discrimina entre 6 profesiones (p.ej., *enfermera, doctor, cartero, conductor de autobús*, etc.) **(T)**	
14-d	Responde correctamente a 10 tareas con cantidades de "uno" frente a "dos" (o frente a "todos") de algo **(T)**	
14-M	**Sigue instrucciones formadas por 3 pasos. Lo realiza con 10 instrucciones diferentes (p.ej., toma tu abriga, cuélgalo y siéntate) (T)**	
15-a	Discrimina entre objetos cuando se el adverbio negativo "no". Lo hace para10 tareas (p.ej., *¿Cuál no es un alimento?*) **(T)**	
15-b	Discrimina 5 atributos de sus compañeros de un grupo pequeño (p.ej., *¿Quién lleva zapatos azules?, ¿Quién tiene el pelo castaño?, ¿Quién lleva gafas?*, etc.) **(T)**	
15-c	Responde correctamente a 10 tareas de singular versus plural (p.ej., *Toca el perro* versus *Toca los perros*) **(T)**	
15-d	Generaliza 5 adjetivos a sustantivos nuevos (p.ej., dice *Cosa pegajosa para moscas*, cuando ve por primera vez una trampa para moscas) **(T)**	
15-e	Generaliza 5 adverbios a verbos nuevos (p.ej., dice, *La lava se mueve lentamente*, cuando ve lava por la primera vez) **(T)**	
15-M	**Tiene un repertorio de oyente de 1200 palabras en total (sustantivos, verbos, adjetivos, etc.) evaluado o en un listado acumulado de palabras ya conocidas (T)**	

	HABILIDADES DE PERCEPCIÓN VISUAL E IGUALACIÓN A LA MUESTRA – NIVEL 3	
Habilidad		**Logra**
11-a	Completa 5 puzles diferentes de 10 piezas **(T)**	
11-b	Completa un diseño de bloques de 4 componentes con una muestra de 2D y bloques de 3D. Lo hace con 4 diseños **(T)**	
11-c	Usa el pegamento para pegar materiales didácticos; sin ayuda física; lo hace en 2 ocasiones **(T)**	
11-d	Iguala una foto de un lugar con una foto no idéntica del mismo lugar. Lo realiza con 10 lugares (p.ej., iguala un parque con otro parque que no es idéntico) **(T)**	
11-M	**Empareja espontáneamente cualquier parte de una manualidad con la muestra de la otra persona (p.ej., el compañero colorea un globo rojo y el estudiante copia el mismo color para pintar su globo). Lo realiza en 2 ocasiones (O)**	
12-a	Clasifica 5 objetos relacionados, de 3 categorías diferentes presentando una muestra (p.ej., saca todos los vehículos de una caja de juguetes) **(T)**	
12-b	Iguala objetos no idénticos añadiendo una demora de 5 segundos para presentar las comparaciones. Lo hace con un conjunto desordenado de 6 (p.ej., se le muestra un tigre, se le retira, esperamos 5 segundos y se le presenta el grupo de objetos) **(T)**	
12-c	Completa un diseño de bloques de 6 componentes, con una muestra de 2D y bloques de 3D. Lo realiza con 8 diseños **(T)**	
12-d	Iguala un diseño de bloques de 3D con 4 bloques (p.ej., una casa, una torre, etc.) **(T)**	
12-M	**Muestra igualación idéntica generalizada en un conjunto desordenado de 10 objetos que incluye 3 estímulos parecidos. Lo realiza con 25 objetos (p.ej., empareja objetos nuevos en el primer ensayo) (T)**	
13-a	Utiliza las tijeras para cortar 5 patrones diferentes u objetos, sin ayuda física **(T)**	
13-b	Pone la mesa para 2 personas, con 6 platos y utensilios **(T)**	
13-c	Pone 3 objetos según su tamaño (serie) **(T)**	
13-d	Imita un modelo de una estructura de bloques o una construcción de objetos similar con al menos 6 piezas **(T)**	

Comentarios/notas:

T) = Evaluación directa;   **(O) =** Observación;   **(E) =** Evaluación u observación;   **(TO) =** Observación cronometrada

HABILIDADES DE PERCEPCIÓN VISUAL E IGUALACIÓN A LA MUESTRA – NIVEL 3

Habilidad		Logra
13-M	**Realiza 20 puzles de formas, puzles de disección (p.ej., Tangram), ok diseños de bloques. Todos ellos que contengan como mínimo 8 piezas (T)**	
14-a	Realiza un puzle de la figura humana de al menos 6 piezas con éxito **(T)**	
14-b	Iguala 25 objetos, los cuales están relacionados entre ellos, en un conjunto desordenado de 6, con 3 estímulos similares **(T)**	
14-c	Completa 10 series diferentes **(T)**	
14-d	Participa en un juego corto de "concentración" o de memoria con imágenes idénticas **(T)**	
14-M	**Clasifica 5 objetos de 5 categorías diferentes sin modelo (p.ej., animales, ropa, muebles) (T)**	
15-a	Completa un patrón de tipo AB (p.ej., rellenar una serie de cuadrados verdes y círculos rojos). Lo realiza con 5 patrones diferentes de colores o formas **(T)**	
15-b	Completa un patrón de tipo AB. Lo realiza con 5 patrones diferentes de imágenes **(T)**	
15-c	Coloca 3 imágenes en el orden o la secuencia correcta. Lo realiza con 5 juegos de imágenes **(T)**	
15-d	Construye 5 escenarios de fieltro (o un material similar), con 5 piezas (p.ej., una granja, una fiesta, etc.) **(T)**	
15-M	**Continua patrones, secuencias y series de 3 pasos. Lo realiza con 20 actividades diferentes (p.ej., estrella, triángulo, corazón, estrella, triángulo...) (T)**	

Habilidad	JUEGO INDEPENDIENTE – NIVEL 3	Logra
11-a	Dirige un juguete con ruedas esquivando obstáculos (p.ej., mueve un triciclo alrededor de un poste) **(O)**	
11-b	Muestra correspondencia uno a uno o biunívoca en actividades de juego (p.ej., coloca huevos de plástico en un cartón de huevos, pone una muñeca en la cama con su biberón) **(O)**	
11-c	Toma los juguetes y juega de forma independiente durante 2 minutos **(O)**	
11-d	Canta, murmura o recita un par de palabras de canciones familiares, mientras participa en una actividad **(O)**	
11-M	**Participa en juegos simbólicos de forma espontánea en 5 ocasiones (p.ej., disfrazarse, montar una fiesta con animales, hacer como que cocina) (O)**	
12-a	Completa una actividad de construcción (p.ej., construye una estructura con bloques, ensarta cuentas para hacer un collar y se lo pone) **(O)**	
12-b	Pinta un dibujo en un libro para colorear o en un papel en blanco **(O)**	
12-c	Se sienta y mira un libro de forma independiente, durante 5 minutos **(O)**	
12-d	Acepta instrucciones de un compañero cuando juegan en el mismo espacio **(O)**	
12-M	**Repite respuestas motoras gruesas para obtener cada vez mejores resultados; lo hace en 2 actividades (p.ej., lanzar pelotas en una cesta, empujarse solo en un columpio) (O)**	
13-a	Utiliza materiales para hacer manualidades con la finalidad adecuada (p.ej., corta con tijeras, usa el pegamento para pegar, etc.) **(O)**	
13-b	Espera hasta que sea su turno (p.ej., espera que otro niño se baje de un columpio o espera su turno en una actividad en mesa) **(O)**	
13-c	Dibuja objetos reconocibles de forma autónoma **(O)**	
13-d	Muestra el resultado de su trabajo ya finalizado a un adulto o a un compañero (p.ej., un proyecto artístico) **(O)**	
13-e	Pinta objetos sin salirse de la raya en un libro para colorear **(O)**	
13-M	**Participa en manualidades de forma independiente durante 5 minutos (p.ej., pintar, colorear, cortar, pegar) (O)**	
14-a	Muestra una respuesta apropiada cuando una actividad finaliza o se ve interrumpida (p.ej., el niño para de jugar cuando un adulto se lo pide) **(O)**	
14-b	Sigue normas básicas de seguridad (p.ej., no tira objetos a otros niños, no se sube a lugares demasiado altos) **(O)**	

(T) = Evaluación directa;   **(O)** = Observación;   **(E)** = Evaluación u observación;   **(TO)** = Observación cronometrada

Habilidad	JUEGO INDEPENDIENTE - NIVEL 3 (Continuación)	Logra
14-c	Hace como que está escribiendo **(O)**	
14-d	De forma independiente toma, prepara y recoge, esto último con ayuda, una actividad de juego **(O)**	
14-M	**Participa independientemente en actividades lúdicas durante 10 minutos sin ayuda de los adultos ni reforzamiento (p.ej., se disfraza, juega con figuras de Playmobil®) (O)**	
15-a	Se muestra dispuesto a intentar actividades físicas difíciles (p.ej., montar en una bicicleta de dos ruedas, probar patines en línea, golpear una bola con un palo de golf) **(O)**	
15-b	Ayuda de forma espontánea con actividades cotidianas (p.ej., poner la mesa, plantar semillas, emparejar calcetines de la colada, etc.) **(O)**	
15-c	Participa en una actividad no preferida a fin de tener acceso a una actividad favorita **(O)**	
15-d	Juega con juegos de ordenador o videojuegos utilizando el aparato correctamente **(O)**	
15-e	Mientras juega va resolviendo los problemas con los que se encuentra de forma independiente (p.ej., si se le ha quedado estancada una pieza de un juguete intenta sacarla por sus propios medios) **(O)**	
15-M	**Realiza de forma independiente actividades preescolares que consisten en dibujar o trazar; lo hace durante 5 minutos (p.ej., trazar letras y números, hacer juegos de unir con flechas) (O)**	

Habilidad	CONDUCTA SOCIAL Y JUEGO SOCIAL – NIVEL 3	Logra
11-a	Participa en actividades cooperativas con ayuda de adultos, en 2 ocasiones (p.ej., sostener un paracaídas) **(O)**	
11-b	Emite mandos correctamente para que sus compañeros finalicen una conducta no deseada, en 2 ocasiones **(O)**	
11-c	Espera su turno para recibir un reforzador sin problemas de conducta, en 2 ocasiones **(O)**	
11-d	Acepta una invitación para participar en una actividad de juego social con un compañero, en 2 ocasiones **(O)**	
11-e	Emite mandos ante preguntas con *qué, cómo, dónde, cuándo* y *cuál* en 2 ocasiones (p.ej., ¿Dónde está la pala? ¿Cuál te gusta?, etc.) **(O)**	
11-M	**Participa espontáneamente con sus compañeros para obtener un resultado específico, en 5 ocasiones (p.ej., un niño sostiene un cubo mientras el otro lo llena de agua) (E)**	
12-a	Imita espontáneamente la conducta de un compañero en actividades de juego imaginario, en 2 ocasiones **(O)**	
12-b	Emite mandos de forma espontánea utilizando *Dónde*, con el fin de localizar un compañero ausente, en 2 ocasiones **(O)**	
12-c	Emite mandos de forma espontánea utilizando *Qué*, en relación a la conducta de un compañero, en 2 ocasiones **(O)**	
12-d	Emite mandos de forma espontánea utilizando *Quién*, evocado por una persona desconocida, en 2 ocasiones **(O)**	
12-e	Tiene un "mejor amigo" (en otras palabras, juega repetidamente con un niño específico) **(O)**	
12-f	Emite 3 interacciones verbales con un compañero **(O)**	
12-M	**Emite mandos a sus iguales con las preguntas *qué, cómo, dónde, cuándo,* quién y *cuál,* de forma espontánea, en 5 ocasiones (p.ej., ¿Dónde vamos?, ¿Quién eres?) (TO: 60min.)**	
13-a	Utiliza espontáneamente *por favor* y *gracias* tanto con adultos como con sus iguales, en 2 ocasiones **(O)**	
13-b	Realiza cualquier intercambio de reciprocidad verbal con un compañero, en 2 ocasiones **(O)**	
13-c	Sigue instrucciones dadas por un compañero, en una actividad de juego social, en 2 ocasiones **(O)**	
13-d	En actividades sociales da instrucciones a un compañero, en 2 ocasiones **(O)**	
13-e	Ofrece un reforzador de forma espontánea a un compañero (comparte), en 2 ocasiones **(O)**	
13-M	**Responde a 5 intraverbales diferentes realizadas por sus compañeros (p.ej., responde verbalmente a ¿A qué quieres jugar?) (TO: 60min.)**	
14-a	Participa en un juego social dirigido por un compañero (p.ej., *Un, dos, tres, pollito inglés*), en 2 ocasiones **(O)**	

Comentarios/notas:

T) = Evaluación directa;   **(O)** = Observación;   **(E)** = Evaluación u observación;   **(TO)** = Observación cronometrada

Habilidad	CONDUCTA SOCIAL Y JUEGO SOCIAL - NIVEL 3 (*Continuación*)	Logra
14-b	Emite mandos espontáneamente utilizando el nombre de un compañero que acaba de conocer o bien que no es familiar para el estudiante, en 1 ocasión **(O)**	
14-c	Sigue turnos y comparte reforzadores con sus compañeros, sin ayuda, en 2 ocasiones **(O)**	
14-d	Ríe, sonríe ante los chistes o el humor de sus compañeros, en 2 ocasiones **(O)**	
14-e	Hace preguntas acerca de los intereses de sus compañeros, en 1 ocasión **(O)**	
14-M	**Participa en actividades de juego social con compañeros de su edad durante 5 minutos sin ayuda de adultos y sin reforzamiento (p.ej., disfrazarse, jugar a las casitas) (O)**	
15-a	Participa en al menos 3 intercambios verbales con un compañero, en 2 ocasiones **(O)**	
15-b	Participa en un intercambio verbal con dos o más compañeros, en un lugar, en 2 ocasiones **(O)**	
15-c	Copia la conducta de un compañero cuando toma un reforzador, en 2 ocasiones **(O)**	
15-d	Presta atención a un compañero mientras cuenta una historia durante 10 segundos, en 2 ocasiones **(O)**	
15-e	Narra la actividad de un compañero utilizando como mínimo 2 tactos, en 2 ocasiones **(O)**	
15-f	Muestra simpatía cuando un compañero tiene dolor, en 2 ocasiones **(O)**	
15-g	Negocia tiempo por un reforzador con un compañero, en 2 ocasiones **(O)**	
15-M	**Realiza 4 intercambios verbales sobre 1 tema con sus compañeros; lo hace para 5 temas de conversación diferentes (p.ej., los niños charlan sobre cómo hacer un río en el parque de arena) (O)**	

Habilidad	RESPUESTAS DE OYENTE SEGÚN CLASE, CARACTERÍSTICA O FUNCIÓN – NIVEL 3	Logra
11-a	Selecciona 2 miembros de una clase (p.ej., encuentra dos partes del cuerpo) de entre un conjunto de 10; lo hace para 25 clases **(T)**	
11-b	Selecciona 50 objetos de un libro, ante cualquier tarea en la que debe de responder como oyente según función, característica o clase **(T)**	
11-c	Selecciona 50 objetos de un contexto natural o de una actividad funcional (p.ej., poner la mesa), cuando ha de responder como oyente según una función, característica o clase **(T)**	
11-d	Muestra 200 respuestas diferentes de oyente según función, característica o clase, evaluadas al efecto u obtenidas de una lista acumulada de respuestas ya adquiridas **(T)**	
11-e	Selecciona una foto del siguiente paso a realizar en una secuencia (p.ej., *Primero abres el agua en la bañera, luego…*). Lo hace para 10 secuencias de acciones **(T)**	
11-f	Selecciona una foto de entre un conjunto de 10 cuando se le hace una pregunta general sobre la hora del día (p.ej., ante la pregunta *¿A qué hora te vas a dormir?*, selecciona una foto que muestra la luna y las estrellas). Lo realiza con 5 objetos **(T)**	
11-M	**Selecciona el objeto correcto de entre un conjunto de 10 que contiene 3 estímulos parecidos (p.ej., en color, forma, clase; siendo estas tres opciones incorrectas). Lo realiza para 25 preguntas con *cómo, qué, quién, dónde, cuándo,* o *cuál* según la función, característica o clase (T)**	
12-a	Selecciona un objeto de entre un conjunto de 10, cuando se le da un color y una clase (p.ej., *un animal amarillo*). Lo realiza con 25 objetos **(T)**	
12-b	Selecciona un objeto de entre un conjunto de 10, cuando se le da una forma y una clase (p.ej., *un postre redondo*). Lo realiza con 25 objetos **(T)**	
12-c	Selecciona un objeto de entre un conjunto de 10, cuando se le da una función (p.ej., pintas en el...) y una clase (p.ej., *complementos para manualidades*). Lo hace en 25 tareas LRFFC (p.ej., *Encuentra algo para pintar en el aula de manualidades*) **(T)**	

Comentarios/notas:

(T) = Evaluación directa; **(O)** = Observación; **(E)** = Evaluación u observación; **(TO)** = Observación cronometrada

Habilidades		Logra
	RESPUESTAS DE OYENTE SEGÚN CLASE, CARACTERÍSTICA O FUNCIÓN – NIVEL 3	
12-d	Selecciona un objeto de entre un conjunto de 10, cuando se le da una característica (p.ej., *ruedas, alas*) y una clase (p.ej., *animales, vehículos*). Lo realiza en 25 tareas de oyente que combinan de dos en dos función, característica o clase (p.ej., *¿Dónde está el vehículo con ruedas?, ¿Dónde está el vehículo con alas?*, etc.) **(T)**	
12-e	Selecciona un objeto de entre un conjunto de 10, ante un adjetivo (se excluyen colores y formas) y una función (p.ej., *Es caliente y es para comer… espagueti*). Lo realiza en 25 tareas LRFFC **(T)**	
12-f	Selecciona un objeto de entre un conjunto de 10, ante un adjetivo (se excluyen colores y formas) y una característica (p.ej.,*Es suave y tiene orejas… conejo*). Lo realiza en 25 tareas LRFFC **(T)**	
12-M	**Selecciona el objeto de un libro teniendo en cuenta 2 elementos verbales, ya sean de característica (p.ej., color), función (p.ej., para dibujar) o clase (p.ej., ropa). Lo realiza con 25 objetos (p.ej., ¿Dónde está el animal de color marrón?, ¿Señala la prenda con botones?) (T)**	
13-a	Selecciona un objeto en un libro después de haber leído un fragmento corto de este (más de 10 palabras) y se le hace una pregunta LRFFC (p.ej., *¿Quién sopló hasta derribar la casa?*) **(T)**	
13-b	Selecciona un objeto de entre un conjunto de 10, cuando se le da una preposición y se le hace una pregunta LRFFC (p.ej., *¿Qué está encima del techo?*). Lo realiza con 25 objetos **(T)**	
13-c	Selecciona un objeto de entre un conjunto de 10, cuando se le da un pronombre y cualquier tipo de pregunta LRFFC (p.ej., *¿Qué juguetes son de él?*). Lo realiza con 25 objetos **(T)**	
13-d	Selecciona un objeto de entre un conjunto de 10, cuando se le da un adverbio y una pregunta LRFFC (p.ej., *¿Qué animal corre rápido?*). Lo realiza con 25 objetos **(T)**	
13-e	Selecciona 10 oficios o profesiones de un libro por la acción asociada (p.ej., *¿Quién te ayuda cuando estás enfermo?*) **(T)**	
13-f	Selecciona 2 objetos diferentes de entre un conjunto de 10, cuando se le dan 2 clases o funciones diferentes (p.ej., *¿Puedes encontrar una fruta y verdura?*). Lo realiza con 25 pares **(T)**	
13-g	Selecciona un lugar de entre un conjunto de 10, cuando se le dan 2 objetos de ese lugar (p.ej.,*Tú compras carne y pan en la… tienda*). Lo realiza con 10 lugares **(T)**	
13-h	Selecciona un objeto en el contexto natural, habiendo 3 estímulos similares presentes, cuando se le hace una pregunta LRFFC. Lo hace en 25 tareas diferentes (p.ej., *Busca algo para barrer. Encuentra algo para pegar esto*) **(T)**	
13-M	**Selecciona los objetos de un libro o del contexto natural teniendo en cuenta 3 componentes verbales (p.ej., verbos, adjetivos, preposiciones, pronombres). Lo realiza para 25 preguntas LRFFC con *cómo, qué, quién, dónde, cuándo,* o *cuál* (p.ej.,¿qué fruta crece en los árboles?) (T)**	
14-a	Selecciona todos los miembros de una clase de entre un conjunto de 10, cuando se le pide (p.ej., *Encuentra todas las prendas de vestir*). Lo realiza con 3 miembros de 25 clases **(T)**	
14-b	Selecciona un objeto de un libro, cuando se le hace una pregunta con *Cuándo* (p.ej., *¿Cuándo necesitas una toalla?*). Lo realiza con 10 objetos **(T)**	
14-c	Selecciona un objeto de un libro, cuando se le hace una pregunta con *Cómo* (p.ej., *¿Cómo llegas a la escuela?*). Lo realiza con 10 objetos **(T)**	
14-d	Selecciona un objeto de entre un conjunto de 10, cuando se le da un verbo seguido de una preposición (p.ej., *comes con, comes en, escribes en, escribes con*, etc.). Lo realiza con 25 combinaciones de verbo-preposición **(T)**	
14-e	Selecciona un objeto, cuando se le pide encontrar algo que es diferente en un grupo de 5 (p.ej., *dos cucharas y un tenedor*). Lo realiza con 25 objetos **(T)**	
14-f	Selecciona un objeto de entre un conjunto de 10 cuando, al mostrarle una foto, se le pregunta *¿Qué falta?* (p.ej., *un coche sin ruedas, un avión sin alas*, etc.). Lo realiza con 10 objetos **(T)**	

Comentarios/notas:

T) = Evaluación directa;   **(O) =** Observación;   **(E) =** Evaluación u observación;   **(TO) =** Observación cronometrada

RESPUESTAS DE OYENTE SEGÚN CLASE, CARACTERÍSTICA O FUNCIÓN – NIVEL 3

Habilidades		Logra
14-M	**Selecciona los objetos de un libro o del contexto natural teniendo en cuenta 4 preguntas aleatorias LRFFC que incluyen *cómo, qué, quién, dónde, cuándo, o cuál.* Lo hace con 25 temas diferentes (p.ej., *¿Dónde vive la vaca?, ¿Qué come la vaca?, ¿Quién ordeña la vaca?)* (T)**	
15-a	Selecciona un objeto de entre un conjunto de 10 relacionándolo con un hecho pasado (p.ej., *¿Dónde fuiste ayer?).* Lo realiza con 5 eventos **(T)**	
15-b	Selecciona un objeto relacionado con un evento futuro (p.ej., *¿Qué pasará mañana?).* Lo realiza con 5 situaciones **(T)**	
15-c	Selecciona un objeto de entre un conjunto de 10 ante una pregunta LRFFC del tipo *¿Cuál no puede...?* (p.ej., *¿Cuál no puede volar?).* Lo realiza con 10 objetos **(T)**	
15-d	Selecciona un objeto de entre un conjunto de 10 ante una pregunta LRFFC del tipo *¿Cuál no es...?* (p.ej., *¿Cuál no es un instrumento musical?).* Lo realiza con 25 objetos respondiendo según su función, característica o clase **(T)**	
15-e	Selecciona un objeto de una página de un libro del contexto natural teniendo en cuenta 4 componentes verbales (p.ej., verbo, adjetivo, preposición, pronombre) respondiendo como oyente a 25 tareas LRFFC (p.ej., *¿De quién era la cama dónde durmió Ricitos de Oro?)* **(T)**	
15-M	**Demuestra 1000 respuestas LRFFC diferentes, evaluadas al efecto, o bien, obtenidas de un listado de respuestas ya adquiridas (T)**	

Habilidad	INTRAVERBAL - NIVEL 3	Logra
11-a	Completa 10 frases formadas por dos componentes (sustantivo-verbo) (p.ej.,*En el desayuno comes... En el almuerzo comes...)* **(T)**	
11-b	Responde a 25 preguntas de dos componentes con *dónde* (p.ej., *¿Dónde podemos encontrar leche? ¿Dónde está tu mochila?,* etc.) **(T)**	
11-c	Responde a 25 preguntas de dos componentes con *quién* (p.ej., *¿Quién te lleva a la escuela? ¿Con quién juegas?,* etc.) **(T)**	
11-d	Responde a 25 preguntas con *qué* relacionadas con la función (p.ej., *¿Qué haces con colores?)* **(T)**	
11-e	Responde a 25 preguntas con *qué* cuando se le da una función (p.ej., *¿Con qué te limpias?)* **(T)**	
11-f	Muestra 10 intraverbales no entrenadas (p.ej., explica lo sucedido en una película sin entrenamiento específico) **(O)**	
11-g	Muestra 5 intraverbales nuevas habiendo recibido solo entrenamiento de tactos (p.ej., puede tactar "ordenador"... *Mi papá tiene un ordenador)* **(E)**	
11-h	Responde *No sé,* cuando se le hacen preguntas que no puede responder **(E)**	
11-M	**Emite espontáneamente 20 comentarios a intraverbales (pueden formar parte de un mando) (p.ej., el padre dice "*voy al coche*" y el estudiante dice espontáneamente "*quiero dar una vuelta en coche*")**	
12-a	Proporciona al menos 3 miembros de 10 clases (p.ej., *¿Qué ves en un parque de juegos?)* **(T)**	
12-b	Responde 25 preguntas de opción múltiple (p.ej., *¿Un pez vive en el agua o en los árboles?)* **(T)**	
12-c	Proporciona 10 categorías cuando se le dan varios miembros (p.ej., *un caballo, una vaca y un cerdo son...)* **(T)**	
12-d	Proporciona el nombre de 5 objetos al mencionar una característica específica (p.ej., *¿Qué tiene ruedas?)* **(T)**	
12-e	Proporciona 2 características de 10 objetos, cuando se le dan sus nombres (p.ej., *¿Qué tiene un camión de bomberos?)* **(T)**	
12-f	Proporciona una respuesta a 3 preguntas que involucran emociones (p.ej., *¿Qué te pone triste? ¿Qué te hace feliz?,* etc.) **(T)**	
12-g	Proporciona al menos 25 respuestas con más de 3 palabras (p.ej., cuando se le pregunta *¿Con qué te gusta jugar?* el niño responde *Me gusta jugar con coches)* **(T)**	
12-M	**Muestra 300 respuestas de intraverbales diferentes evaluadas al efecto o que forman parte de un listado de intraverbales ya adquiridas (T)**	

Comentarios/notas:

(T) = Evaluación directa;   **(O)** = Observación;   **(E)** = Evaluación u observación;   **(TO)** = Observación cronometrada

Habilidad	INTRAVERBAL - NIVEL 3 *(Continuación)*	Logra
13-a	Responde a 25 preguntas con *Sí* y *No* (p.ej., *¿Nos comemos los zapatos?*) **(T)**	
13-b	Describe 5 lugares sin necesidad de estar presente (p.ej., *Descríbeme tu habitación…*) **(T)**	
13-c	Responde a 25 preguntas intraverbales, incluyendo adjetivos (p.ej., *¿Puedes decirme un animal grande?*) **(T)**	
13-d	Responde a una pregunta después de haber leído una oración; lo realiza con 10 oraciones **(T)**	
13-e	Responde correctamente a la pregunta *¿Cuántos años tienes?* **(T)**	
13-f	Responde a 2 preguntas de tiempo, con respuestas generales (p.ej., *¿A qué horas te vas a dormir?... por la noche*) **(T)**	
13-g	Completa la secuencia de una historia; lo realiza con 5 historias (p.ej., *¿Entonces qué le paso a los tres cerditos?*) **(T)**	
13-h	Participa en 5 conversaciones diferentes, las cuales contienen al menos 3 intercambios intraverbales sobre un tema **(T)**	
13-i	Describe 2 atributos acerca de sí mismo (p.ej., *Tengo el pelo oscuro, los ojos castaños*, etc.) **(T)**	
13-M	**Responde 2 preguntas después de haber leído un fragmento de una lectura de un libro (más de 15 palabras). Esto lo realiza con 25 fragmentos (p.ej., *¿Quién derribó la casa soplando?*) (T)**	
14-a	Responde a 25 preguntas diferentes con *Quién*, *Qué*, o *Dónde*; las preguntas contienen al menos 3 elementos (p.ej., *¿De qué color es un camión de bomberos?*) **(T)**	
14-b	Proporciona al menos 3 miembros de 25 categorías (p.ej., *¿Qué hay en un parque?*) **(T)**	
14-c	Responde a 5 preguntas acerca de eventos cotidianos o actuales (p.ej., *¿A dónde vas con tu papá?*) **(T)**	
14-d	Responde intraverbales o comentarios de sus compañeros como mínimo 25 veces al día **(O)**	
14-e	Muestra generalización al dar la misma respuesta a 10 preguntas presentadas de 3 maneras diferentes cada una (p.ej., Responde *en mi casa*, cuando se le pregunta *¿Dónde vives? ¿Dónde está tu perro? ¿Dónde juegas?*) **(T)**	
14-f	Dice 3 cosas acerca de un mismo objeto; lo realiza con 25 objetos (p.ej., *Es un lápiz de color, Es rojo, Sirve para dibujar*) **(T)**	
14-g	Responde a 3 preguntas personales (p.ej., *¿Dónde vives? ¿Cómo se llama tu hermano?*) **(T)**	
14-h	Responde a 25 preguntas intraverbales que incluyen preposiciones (p.ej., *¿Qué hay bajo la cama?*) **(T)**	
14-i	Responde a 25 preguntas intraverbales que incluyen pronombres (p.ej., *¿Quién tiene un perro marrón?*) **(T)**	
14-j	Proporciona 25 respuestas a preguntas sobre secuencias de eventos (p.ej., *¿Qué haces después de llegar a la escuela?*) **(T)**	
14-k	Responde a 10 preguntas con *cuándo* (p.ej., *¿Cuándo te bañas?*) **(T)**	
14-M	**Describe 25 eventos utilizando 8 o más palabras de diferentes videos, historias, etc. (p.ej., *el monstruo grande asustó a todo el mundo y empezaron a correr hacia sus casas*) (E)**	
15-a	Responde a 10 preguntas sobre profesiones (p.ej., *¿Qué hace un médico?*) **(T)**	
15-b	Responde a 25 preguntas diferentes que contienen 4 o más componentes (p.ej., *¿Qué herramienta necesitas para clavar clavos?*) **(T)**	
15-c	Sigue turnos de palabra añadiendo a una historia iniciada por otros (p.ej., *Y luego vio un barco…*) **(E)**	
15-d	Responde a 5 preguntas diferentes con *cómo* (p.ej., *¿Cómo rellenas el agujero?*) **(T)**	
15-e	Proporciona su apellido cuando se le pregunta (p.ej., *Martínez*) **(T)**	
15-f	Responde a 25 preguntas intraverbales que incluyen adverbios (p.ej., *¿Qué animal se mueve lentamente?*) **(T)**	
15-g	Muestra generalización de respuesta al describir los mismos 10 objetos, eventos, mascotas, personas, etc. de 3 maneras diferentes (p.ej., En referencia a un perro de nombre Toby, el estudiante responde *un perro, un animal, Toby*) **(T)**	
15-h	Describe 5 eventos que han sucedido en el pasado **(T)**	
15-i	Describe 5 eventos que van a ocurrir en el futuro **(T)**	
15-j	Resume 5 historias diferentes utilizando al menos 10 palabras **(T)**	
15-k	Sugiere una posible solución cuando se le presenta un problema **(T)**	
15-M	**Responde 4 preguntas diferentes utilizando *cómo, cuándo, qué, quién, dónde* o *cuál* sobre un tema concreto. Lo hace con 10 temas diferentes (p.ej., *¿Quién te lleva al colegio?, ¿Dónde está tu colegio?, ¿Qué llevas para ir al colegio?*) (T)**	

Comentarios/notas:

T) = Evaluación directa;   **(O) =** Observación;   **(E) =** Evaluación u observación;   **(TO) =** Observación cronometrada

Habilidad	RUTINAS EN EL AULA Y HABILIDADES GRUPALES - NIVEL 3	Logra
11-a	Se sienta o se coloca en una mesa con una manualidad durante 5 minutos, sin presentar conducta disruptiva **(O)**	
11-b	Responde a una instrucción de grupo sin ayudas (p.ej., *todo el mundo de pie*) **(O)**	
11-c	Trabaja independientemente en una tarea o manualidad durante 1 minuto sin recibir ayuda ni reforzamiento **(O)**	
11-d	Se coloca enfrente de todos sus compañeros, con una ayuda verbal **(O)**	
11-M	**Utiliza el baño y se lava las manos necesitando solo ayuda verbal (E)**	
12-a	Levanta la mano para pedir su turno en una actividad grupal (p.ej., *¿Quién quiere escoger una canción?*) **(O)**	
12-b	Utiliza el material escolar tal y como se debería (p.ej., pegamento, tijeras, colores, papel, etc.) **(O)**	
12-c	Recoge los juguetes y el material cuando se le pide **(O)**	
12-d	Permanece en una actividad con manualidades durante 1 minuto, después de que el adulto se marche de la mesa **(O)**	
12-M	**Responde a 5 instrucciones de grupo, diferentes o preguntas sin ayudas directas en un grupo de 3 o más niños (p.ej., *Todo el mundo de pie, ¿Alguien lleva una camiseta roja?*) (O)**	
13-a	Toma el material que necesita para realizar una actividad después de pedírselo (p.ej., *Toma el pegamento*) **(O)**	
13-b	Realiza transiciones entre actividades de clase con ayudas verbales grupales **(O)**	
13-c	Responde a preguntas de grupo sin ayuda directa (p.ej., *¿Qué le pasó a Simba?*) **(O)**	
13-d	Emite mandos para usar el baño y no tiene casi accidentes **(O)**	
13-M	**Trabaja de forma independiente durante 5 minutos y permanece en la tarea el 50% del tiempo (O)**	
14-a	Respeta turnos y comparte objetos con sus compañeros **(O)**	
14-b	Discrimina y sigue instrucciones de grupo formadas por dos componentes (p.ej., *Todos los niños, hagan una fila*) **(O)**	
14-c	Sigue las reglas de la clase (p.ej., *Sin correr, Sin empujar*, etc.) **(O)**	
14-d	Dirige 2 actividades de grupo en las que participan 3 niños (p.ej., juego del pollito inglés) **(O)**	
14-e	Emite mandos para acceder a una actividad específica en un contexto de grupo (p.ej., *¡Vamos a jugar al pilla pilla!*) **(O)**	
14-f	Recoge el material después de finalizar una actividad con solo una instrucción verbal **(O)**	
14-M	**Adquiere 2 conductas nuevas después de 15 minutos en un formato de enseñanza grupal con 5 o más compañeros (T)**	
15-a	Se focaliza en la tarea a pesar de haber distracciones en el aula **(O)**	
15-b	Se hace cargo de sus necesidades sin ayuda (p.ej., se limpiarse la nariz, ponerse su abrigo, etc.) **(O)**	
15-c	Interactúa verbalmente con sus compañeros cuando están sentados en una actividad de mesa; lo hace en 3 ocasiones **(O)**	
15-d	Se sienta después de finalizar su turno; sin ayuda **(O)**	
15-e	Mantiene las manos en reposo en un contexto de grupo **(O)**	
15-f	Levanta la mano para indicar que sabe la respuesta a una pregunta durante una actividad de grupo **(O)**	
15-g	Realiza 2 hojas de ejercicios sin ayuda, mientras permanece sentado en una mesa con 3 niños más **(O)**	
15-h	Se sienta con los demás compañeros en la reunión matinal durante 20 minutos, sin presentar conducta disruptiva **(O)**	
15-M	**Se sienta en una sesión de grupo con 5 niños durante 20 minutos, sin presentar conductas disruptivas y respondiendo a 5 preguntas intraverbales (T)**	

Comentarios/notas:

(T) = Evaluación directa;   **(O)** = Observación;   **(E)** = Evaluación u observación;   **(TO)** = Observación cronometrada

Habilidad	ESTRUCTURA LINGÜÍSTICA - NIVEL 3 (*Continuación*)	Logra
11-a	Emite verbos auxiliares en una frase tipo de tacto o mando (p.ej., *soy, he, seré, habré, era*) **(O)**	
11-b	Las frases que dice a lo largo del día incluyen el uso correcto y adecuado al contexto de artículos, adverbios, conjunciones y otras palabras auxiliares sin haber sido entrenadas directamente *(p.ej., eso, esa, un, una, el, la, también, pero)* **(O)**	
11-c	Usa las desinencias de plural s y es (p.ej., *libros* o *pantalones*) **(O)**	
11-d	Usa plurales irregulares correctamente[5] (p.ej.,*nariz-narices, voz-voces, lápiz-lápices*, etc.) **(E)**	
11-M	**Emite inflexiones del sustantivo combinando 10 raíces con sufijos para hacer plurales (p.ej., *perro, perros*) y 10 prefijos para referirse a los adjetivos posesivos (p.ej., *el collar de mi perro* versus *el collar de mi gato*).**	
12-a	Utiliza el verbo ser y estar correctamente (p.ej., *Soy un chico, El perro está ladrando*) **(E)**	
12-b	Utiliza conjunciones al combinar palabras y frases (p.ej., *y, o, pero*) **(O)**	
12-c	Utiliza algunos verbos en tiempo pasado de forma correcta (p.ej., *escavó, corrí, , canté*, etc.) **(E)**	
12-d	Utiliza correctamente los gerundios (p.ej., *corriendo, jugando, nadando*, etc.) **(O)**	
12-M	**Emite inflexiones del verbo combinando 10 raíces con sufijos para hacer referencia a tiempos pasados (p.ej., *jugaba*) y 10 raíces con sufijos para crear tiempos futuros (p.ej.,*jugaré*) (E)**	
13-a	Se comunica con oraciones de 2 o 3 palabras **(O)**	
13-b	Emite frases con preposiciones y adverbios (p.ej. ,*sobre la mesa, en casa*, etc.), pero puede que no discrimine entre pares preposicionales/adverbiales (p.ej., sobre versus bajo, dentro versus fuera, etc.) **(E)**	
13-c	Utiliza adjetivos para modificar sustantivos (p.ej., *tren azul, galleta de chocolate*, etc.) **(O)**	
13-d	Usa contracciones en un contexto de mando, tacto o de intraverbal (p.ej., la rueda del avión, voy al cole, voy pa'rriba[6]) **(O)**	
13-e	Utiliza pronombres para modificar nombres (p.ej.,*Mis zapatos. Tu vaso*, etc.) **(O)**	
13-M	**Emite 10 frases nominales diferentes que contienen como mínimo 3 palabras, con 2 modificadores (p.ej., adjetivos, preposiciones, pronombres) (p.ej., *Este es mi perro, Quiero un helado de chocolate*) (E)**	
14-a	Uso adecuado del adjetivo (p.ej., *un barco grande*) **(O)**	
14-b	Concuerda el sujeto y el verbo con la persona (p.ej., *él estaba riéndose* versus *Ellos estaban riéndose*) **(O)**	
14-c	Concuerda el sujeto y el verbo en el número (p.ej., *José está en casa, ellos están en casa*) **(O)**	
14-d	Utiliza adjetivos comparativos y superlativos (p.ej., es más *bueno que, es mejor que, es el mejor*) **(E)**	
14-e	Emite adverbios y adverbios adjetivales para modificar verbos (p.ej., *Ve rápido. Fue lentamente*, etc.) **(E)**	
14-M	**Emite 10 frases verbales diferentes que contienen como mínimo 3 palabras, con 2 modificadores (p.ej., adverbios, preposiciones, pronombres) (p.ej., *Empújame fuerte, sube las escaleras*) (E)**	
15-a	Emite diferentes frases nominales y verbales unidas por conjunciones o conectores (p.ej., *y, o, pero, aún*) **(O)**	
15-b	Demuestra una longitud media de vocalizaciones de 5 morfemas (emite 5 vocalizaciones en una "oración", cada una con un un significado individual, p.ej., *Ella le empujó a él*) **(O)**	
15-c	Los pronombres reflexivos concuerdan en género[7] (p.ej., *Nosotros nos fuimos* versos *Nosotros se fueron*) **(O)**	
15-d	Los pronombres personales concuerdan en género[7] (p.ej., *Dale los colores a Pau* versos *Dales los colores a Pau*) **(O)**	
15-e	Usa adverbios de cantidad y frecuencia en una oración (p.ej., *siempre, nunca, algunas veces*) **(O)**	
15-f	Usa demostrativos en una oración (*esto, eso, estos, esos*) **(O)**	
15-g	Emite palabras que describen la certeza de otras palabras (p.ej., *Creo… Yo estoy seguro… tal vez…*) **(O)**	
15-M	**Combina frases nominales y verbales para crear oraciones sintácticamente correctas utilizando como mínimo 5 palabras (p.ej., *el perro me lamió la cara*) (E)**	

[5] N. del E: de escasa importancia en español.
[6] N. del E.: de importancia relativa en español, por ser infrecuente el uso de contracciones.
[7] N. del E.: los pronombres reflexivos en español concuerdan solo en género, hemos añadido aquí la concordancia en número y persona de pronombres personales acusativos y dativos (p.ej., le, lo) que carece de equivalente gramatical en inglés.

T) = Evaluación directa;   **(O) =** Observación;   **(E) =** Evaluación u observación;   **(TO) =** Observación cronometrada

Habilidad	LECTURA - NIVEL 3	Logra
	(*NOTA.* ESTA SECCIÓN COMIENZA DIRECTAMENTE EN EL NIVEL 3)	
11-a	Pasa la página y mira el libro durante 30 segundos **(TO: 30 seg.)**	
11-b	Emite mandos para que le lean historias de un libro **(O)**	
11-c	Toca imágenes en un libro que corresponden con la historia (p.ej., *¿Dónde está el lobo?*) **(E)**	
11-M	**Presta atención al libro cuando se lo están leyendo, el 75% del tiempo (TO: 3 min.)**	
12-a	Realiza puzles encajables de letras sin ayuda **(E)**	
12-b	Recita 5 letras del alfabeto, necesita ayuda para comenzar (p.ej., *A B…*) **(T)**	
12-c	Tiene un libro favorito y solo viendo la portada del libro lo tacta **(O)**	
12-d	Tacta imágenes en libros mientras un adulto lee la historia **(E)**	
12-e	Realiza igualaciones a la muestra de todas las letras mayúsculas **(T)**	
12-M	**Selecciona las letras mayúsculas de entre un conjunto de 5 letras; lo realiza con 10 letras diferentes (T)**	
13-a	Recita o canta el alfabeto cuando se le pide **(T)**	
13-b	Emite mandos para que le digan qué significa una palabra (p.ej., *¿Qué palabra es?*) **(O)**	
13-c	Intenta leer de un libro **(O)**	
13-d	Discrimina como oyente su propio nombre de entre un conjunto de 3 nombres escritos **(T)**	
13-e	Presta más atención a las palabras escritas, que no a las imágenes, cuando se le está leyendo un cuento **(O)**	
13-M	**Tacta letras mayúsculas cuando se le pide (T)**	
14-a	Discrimina entre la mayoría de las letras mayúsculas (pero puede confundir algunas, p.ej., M y N; P y R) **(T)**	
14-b	Iguala 5 tarjetas que tienen la misma palabra escrita **(T)**	
14-c	Da el nombre de la letra cuando se le expone al sonido; lo realiza con 5 sonidos. Da el nombre de los sonidos cuando se le expone a 5 letras diferentes (T)	
14-d	Responde a intraverbales de 3 historias que se le han leído anteriormente **(E)**	
14-e	Muestra generalizaciones de discriminaciones de oyente y de tacto con 3 variaciones diferentes de las letras mayúsculas **(T)**	
14-M	**Lee su propio nombre (T)**	
15-a	Indica si 2 palabras riman o no; lo realiza con 10 rimas diferentes (p.ej., gato y pato, frente a gato y libro) **(T)**	
15-b	Tacta la mayoría de las letras mayúsculas (puede que confunda las que se parecen, p.ej., M y N; P y R) **(T)**	
15-c	Iguala 10 letras minúsculas con sus letras mayúsculas **(T)**	
15-d	Discrimina como oyente entre números y letras (p.ej., *¿Cuál es una letra?*) **(T)**	
15-e	Deletrea su propio nombre sin ayuda **(T)**	
15-f	Selecciona la palabra escrita correcta de entre un conjunto de 3 palabras. Lo realiza con 5 palabras diferentes **(T)**	
15-M	**Empareja 5 palabras escritas con los objetos o imágenes que les corresponden presentados en conjuntos de 5 imágenes u objetos, y viceversa (p.ej., empareja correctamente la palabra escrita *pájaro* con la imagen de un pájaro presentada junto a cuatro distractores) (T)**	

Comentarios/notas:

(T) = Evaluación directa;   **(O)** = Observación;   **(E)** = Evaluación u observación;   **(TO)** = Observación cronometrada

Habilidad	ESCRITURA - NIVEL 3	Logra
	*(**NOTA.** ESTA SECCIÓN COMIENZA DIRECTAMENTE EN EL NIVEL 3)*	
11-a	Usa utensilios para escribir cuando se le pide **(T)**	
11-b	Hace garabatos de forma independiente, en un papel, en una pizarra, etc. **(O)**	
11-c	Muestra dominancia manual; preferencia en al uso de una mano más que de otra **(E)**	
11-d	Imita movimientos horizontales de derecha a izquierda, con un lápiz de color, rotulador o lápiz **(T)**	
11-e	Imita movimientos verticales de arriba a abajo, con un color, rotulador o lápiz **(T)**	
11-f	Imita movimientos circulares pequeños y grandes, con un color, rotulador o lápiz **(T)**	
11-g	Imita movimientos diagonales y curvos con un color, rotulador o lápiz **(T)**	
11-M	**Imita 5 acciones de escritura diferentes modeladas por un adulto utilizando los materiales adecuados (T)**	
12-a	Muestra un agarre apropiado del utensilio para escribir **(E)**	
12-b	Imita el dibujo de un cuadrado y un triangulo **(T)**	
12-c	Traza 3 formas diferentes, manteniéndose dentro del espacio permitido (2,5 cm) **(T)**	
12-d	Copia 3 formas diferentes cuando se le proporciona un modelo **(T)**	
12-e	Dibuja una línea en un papel que va del punto A al punto B, dentro del espacio pautado (2,5 cm) que va del centro de un recorrido curvo de 15 centímetros **(T)**	
12-f	Copia 5 líneas y/o formas diferentes **(T)**	
12-M	**Realiza trazos de forma independiente de 5 figuras geométricas diferentes (p.ej., círculo, cuadrado, triángulo, rectángulo y estrella) sin salirse de la línea más de medio centímetro (T)**	
13-a	Copia 4 números o letras **(T)**	
13-b	Combina formas para hacer un dibujo de forma independiente (es aceptable la ayuda verbal de los adultos) **(E)**	
13-c	Dibuja de forma independiente, una persona con 4 partes del cuerpo reconocibles (es aceptable la ayuda verbal de los adultos) **(E)**	
13-d	Escribe su nombre en un papel siguiendo la pauta (margen de 1,5 cm) **(E)**	
13-M	**Copia 10 letras o número fáciles de leer (T)**	
14-a	Copia su nombre en papel pautado siendo fácil de leer **(T)**	
14-b	Pinta dibujos en libros para colorear y la mayoría del tiempo se mantiene dentro del espacio pautado **(T)**	
14-c	Copia los números del 1 al 10 de forma legible sobre papel pautado **(T)**	
14-d	Copia 10 letras mayúsculas y 10 letras minúsculas de forma legible sobre papel pautado **(T)**	
14-M	**Deletrea y escribe su propio nombre sin necesidad de copiar siendo fácil de leer y entender (T)**	
15-a	Dibuja 3 objetos diferentes siendo estos fáciles de reconocer **(T)**	
15-b	Escribe 10 letras o números cuando se le dictan, siendo éstas legibles **(T)**	
15-c	Copia 5 palabras sencillas de forma legible **(T)**	
15-M	**Copia todas las letras de forma legible, tanto mayúsculas como minúsculas (T)**	

Comentarios/notas:

T) = Evaluación directa;   **(O)** = Observación;   **(E)** = Evaluación u observación;   **(TO)** = Observación cronometrada

Habilidad	MATEMÁTICAS - NIVEL 3	Logra
	(NOTA. ESTA SECCIÓN COMIENZA EN EL NIVEL 3)	
11-a	Cuenta de memoria hasta el 5 recibiendo solo 1 ayuda para comenzar (p.ej., *Cuenta 1, 2...*) **(T)**	
11-b	Organiza objetos por tamaño (p.ej., bloques pequeños, medianos, y grandes) **(T)**	
11-c	Diferencia entre 1 y 2 objetos como oyente (p.ej., *¿Dónde hay 2 barcos?*) **(T)**	
11-d	Diferencia entre 1 y 2 objetos como parte de un mando (p.ej., *Quiero 2 galletas*) **(E)**	
11-e	Iguala a la muestra los números del 1 al 10 (p.ej., coloca el número 4 con el 4) **(T)**	
11-M	**Identifica como oyente los números del 1 al 5 de entre un conjunto de 5 números diferentes (T)**	
12-a	Diferencia entre 1 y 2 objetos en un tacto (p.ej., *¿Cuántos zapatos tienes?*) **(T)**	
12-b	Levanta los dedos correspondientes a los números del 1 al 5 (p.ej., *Muéstrame 2 dedos*) **(T)**	
12-c	Diferencia entre 1, 2 y 3 objetos como oyente (p.ej., *¿Puedes encontrar 3 flores?*) **(T)**	
12-d	Cuenta 2 objetos con correspondencia de 1 a 1 **(T)**	
12-M	**Tacta los números del 1 al 5 (T)**	
13-a	Responde correctamente cuando se le pregunta por su edad **(T)**	
13-b	Cuenta hasta 3 objetos cuando se le pregunta *¿Cuántos hay?* **(T)**	
13-c	Discrimina correctamente como oyente el número de objetos (p.ej., *¿Qué imagen tiene 2 coches?*) **(T)**	
13-d	Enumera al contar del 1 al 3 (con énfasis final en el número correcto) **(T)**	
13-M	**Cuenta de 1 a 5 objetos de entre un conjunto de más objetos con correspondencia 1 a 1 (p.ej., *Dame 4 coches. Ahora dame, 2 más*) (T)**	
14-a	Tacta correctamente una colección de 1 a 3 objetos como "1," "2," y "3" (p.ej., *¿Cuántos hay aquí?*) **(T)**	
14-b	Hace discriminaciones correctamente con los adverbios de cantidad *más* y *menos* como oyente cuando se comparan conjuntos de objetos **(T)**	
14-c	Discrimina correctamente como oyente un recipiente lleno o vacío **(T)**	
14-d	Discrimina correctamente como oyente el objeto más pequeño o más grande en una comparación **(T)**	
14-e	Discrimina correctamente como oyente el objeto más largo o más corto en una comparación **(T)**	
14-M	**Identifica como oyente 8 comparaciones diferentes que implican medidas (p.ej., *Muéstrame el que tenga más, El que tenga menos, El más largo, El más corto, El que está lleno, El que está vacío*) (T)**	
15-a	Realiza una acción un número determinado de veces; hasta 5 veces (p.ej., *Toca las palmas 3 veces*) **(T)**	
15-b	Completa una secuencia o patrón que contiene 2 elementos (p.ej., rojo-verde; rojo-verde...) **(T)**	
15-c	Discrimina correctamente como oyente los términos ordinales "primero" y "último" **(T)**	
15-d	Discrimina correctamente como oyente y tacta cuando es por mañana y por la noche **(T)**	
15-e	Responde a la intraverbal *¿Qué número sigue?*, con los números del 1 al 9 **(T)**	
15-f	Discrimina correctamente como oyente 3 monedas diferentes y responde intraverbalmente acerca de lo que puede hacerse con el dinero **(T)**	
15-M	**Empareja correctamente números escritos con su cantidad y con la cantidad escrita; para los números del 1 al 5 (p.ej., empareja el número 3 con la imagen que contiene 3 camiones) (T)**	

Comentarios/notas:

CPSIA information can be obtained
at www.ICGtesting.com
Printed in the USA
BVHW090010011221
622869BV00016B/595